Oetinger

Astrid Lindgren
Michel aus Lönneberga

Zeichnungen
von Björn Berg

Verlag Friedrich Oetinger
Hamburg

Diese Ausgabe enthält die Einzelbände
Michel in der Suppenschüssel
Michel muss mehr Männchen machen
Michel bringt die Welt in Ordnung

Geschichten über Michel sind auch als farbig
illustrierte Kinderbücher, in Bilderbüchern, als
Hörbuch sowie als Spielfilm (auf DVD)
bei Oetinger erschienen.

© 1988 Verlag Friedrich Oetinger GmbH,
Poppenbütteler Chausee 53, 22397 Hamburg
Alle Rechte für die deutschsprachige Ausgabe vorbehalten
Die schwedischen Originalausgaben erschienen bei
Rabén & Sjögren Bokförlag, Stockholm, unter den Titeln
Emil i Lönneberga (Band I) © Saltkråkan AB / Astrid Lindgren 1963 (Text)
Nya hyss av Emil i Lönneberga (Band II) © Saltkråkan AB / Astrid Lindgren 1966 (Text)
Än lever Emil i Lönneberga (Band III) © Saltkråkan AB / Astrid Lindgren 1970 (Text)
In deutscher Übersetzung als Gesamtausgabe erstmalig erschienen 1972
im Verlag Friedrich Oetinger, Hamburg
Deutsch von Karl Kurt Peters
Innenillustrationen von Björn Berg
Typografie: Farnschläder & Mahlstedt Typografie, Hamburg
Druck und Bindung: GGP Media GmbH,
Karl-Marx-Straße 24, 07381 Pößneck
Printed 2017
ISBN 978-3-7891-2946-9

www.astrid-lindgren.de
www.oetinger.de

Inhalt

Michel in der Suppenschüssel 7

Dienstag, der 22. Mai, als Michel den Kopf
in die Suppenschüssel steckte 15

Sonntag, der 10. Juni, als Michel die kleine Ida
an der Fahnenstange hochzog 34

Sonntag, der 8. Juli, als Michel auf der Festwiese
von Hultsfred ein »lustiges Leben führte« 60

Michel muss mehr Männchen machen 85

Samstag, der 28. Juli, als Michel Blutklößeteig
über seinen Vater ausgoss und sein hundertstes
Holzmännchen schnitzte 93

Mittwoch, der 31. Oktober, als Michel sich ein eigenes
Pferd anschaffte und Frau Petrell und ganz Vimmerby
beinahe um den Verstand gebracht hätte 116

Montag, der 26. Dezember, als Michel »Das große
   Aufräumen von Katthult« veranstaltete
   und die Maduskan in der Wolfsgrube fing   153

Michel bringt die Welt in Ordnung   193

Samstag, der 12. Juni, als Michel einige geglückte
   Wahnsinnsgeschäfte auf der Auktion auf Backhorva
   machte   200

Sonntag, der 13. Juni, als Michel drei tapfere Versuche
   machte, Linas Backenzahn zu ziehen, und danach
   Klein-Ida ganz blau anmalte   229

Dienstag, der 10. August, als Michel den Frosch
   in den Vesperkorb steckte und dann so Fürchterliches
   anstellte, dass man kaum davon reden mag   248

Einige Tage aus Michels Leben, an denen er
   zum Teil allen möglichen Kleinunfug machte,
   zum Teil aber auch gute Sachen   282

Sonntag, der 14. November, als auf Katthult
   die Glaubensbefragung stattfand und Michel seinen
   Vater in der Trissebude einsperrte   292

Sonntag, der 18. Dezember, als Michel eine Heldentat
   vollbrachte, dass ganz Lönneberga jubelte und alle
   seine Streiche vergeben und vergessen wurden   307

Michel in der
Suppenschüssel

M ichel aus Lönneberga hieß ein Junge, der in Lönneberga wohnte. Das war ein kleiner wilder und eigensinniger Junge, nicht etwa so brav wie du. Obwohl er nett aussah, das tat er wirklich. Wenn er nicht gerade schrie.

Er hatte runde blaue Augen und ein rundes rotbackiges Gesicht und helles wolliges Haar. Alles zusammen sah irgendwie nett aus, und man konnte beinah glauben, Michel sei ein richtiger kleiner Engel. Aber das sollte man sich bloß nicht einbilden.

Fünf Jahre war er alt und stark wie ein kleiner Ochse, und er wohnte auf dem Hof Katthult in dem Dorf Lönneberga in Småland, und das ist ein Teil von Schweden. Und weil man in Småland småländisch redet, redete Michel auch so. Aber dafür konnte er nichts. Wenn er seine Mütze haben wollte, sagte er nicht wie andere Kinder: »Ich möchte meine Mütze haben!« Er sagte: »Ich will meine Müsse haben!« Seine »Müsse«, das war so eine blaue Mütze mit schwarzem Schirm, ziemlich hässlich. Die hatte sein Papa ihm einmal gekauft, als er in der Stadt gewesen war.

Michel freute sich über die Mütze, und wenn er abends ins

9

Bett gehen sollte, sagte er: »Ich will meine Müsse haben!« Seine Mama fand allerdings, Michel sollte die Mütze nicht mit ins Bett nehmen. Sie wollte sie auf die Garderobe im Flur legen. Aber da schrie Michel, dass man es über ganz Lönneberga hören konnte: »Ich will meine Müsse haben!«

Und Michel schlief jede Nacht mit der Mütze auf dem Kopf – drei Wochen lang. Das ging schließlich, wenn es auch ein bisschen drückte. Die Hauptsache war, dass Michel seinen Willen bekam, damit nahm er es genau. Und vor allem durfte es nicht so sein, wie seine Mama wollte. Einmal, an einem Weihnachtstag, versuchte sie Michel dazu zu bringen, dass er Schnittbohnen aß, weil doch Gemüse so gesund ist. Aber Michel sagte Nein.

»Willst du denn *niemals* Gemüse essen?«, fragte seine Mama.

»Doch«, sagte Michel, »*richtiges* Gemüse.«

Und dann setzte er sich in aller Stille hinter den Tannenbaum und begann an ihm zu knabbern. Aber er hörte bald wieder auf, denn es pikte im Mund.

So eigensinnig war Michel. Er wollte über Mama und Papa bestimmen, über ganz Katthult und am liebsten noch über ganz Lönneberga, aber da machten die Leute von Lönneberga nicht mit.

»Sie können einem leidtun, die Svenssons auf Katthult, die einen solchen Lausejungen zum Sohn haben!«, sagten sie. »Aus dem wird nie was.«

Das dachten die Lönneberger, ja! Wenn sie gewusst hätten, was noch aus Michel werden sollte, hätten sie nicht so geredet. Wenn sie gewusst hätten, dass er einmal Gemeinderatspräsident werden sollte, wenn er groß war! Du weißt wohl nicht, was das ist, ein Gemeinderatspräsident, aber es ist etwas sehr Feines, das kann ich versichern, und Michel wurde es schließlich.

Aber nun wollen wir uns an das halten, was geschah, als Michel klein war und auf dem Hof Katthult in der Gemeinde

Lönneberga in Småland wohnte, mit seinem Papa, der Anton Svensson hieß, und mit seiner Mama, die Alma Svensson hieß, und mit seiner kleinen Schwester Ida. Auf Katthult hatten sie auch einen Knecht, der Alfred hieß, und eine Magd, die Lina hieß. Denn zu der Zeit, als Michel klein war, gab es Mägde und Knechte in Lönneberga und überall. Die Knechte pflügten und versorgten die Pferde und die Ochsen, sie fuhren das Heu ein und setzten die Kartoffeln, die Mägde melkten und wuschen ab und scheuerten und sangen den Kindern etwas vor.

Nun weißt du, wer auf Katthult wohnte: Papa Anton, Mama Alma, Klein-Ida, Alfred und Lina. Außerdem zwei Pferde, einige Ochsen, acht Kühe, drei Schweine, zehn Schafe, fünfzehn Hühner, ein Hahn, eine Katze und ein Hund. Und dann Michel.

Katthult war ein kleiner, hübscher Hof mit einem rot gestrichenen Haus, das zwischen Apfelbäumen und Flieder auf einer Anhöhe lag. Und rundherum gab es Äcker und Wiesen und Haine, einen See und einen großen, großen Wald.

Es hätte ruhig und friedvoll auf Katthult sein können, wenn Michel nicht dort gewesen wäre.

»Er macht immer nur Unfug, dieser Junge«, sagte Lina. »Und wenn er selbst keinen Unfug macht, passiert trotzdem noch genug mit Michel. So einen Bengel wie den hab ich noch nie gesehn.«

Aber Michels Mama nahm ihn in Schutz.

»Es ist doch nicht so schlimm mit Michel«, sagte sie. »Heute hat er Ida nur einmal gekniffen und die Kaffeesahne verschüttet, das war alles – ja, und die Katze hat er ums Hühnerhaus gejagt, das ist wahr. Aber auf jeden Fall finde ich, er fängt an, ruhiger und artiger zu werden.«

Michel war nicht boshaft, das kann man nicht sagen. Er mochte beide sehr gern, Ida und die Katze. Aber er musste Ida einfach ein bisschen kneifen, sonst hätte sie ihm ja ihr Sirupbrot nicht gegeben, und die Katze jagte er in aller Freundlichkeit, nur um zu sehen, ob er genauso schnell laufen konnte wie eine Katze. Aber das konnte die Katze nicht begreifen.

Es war der 7. März, an dem Michel so lieb war und Ida nur einmal kniff und die Kaffeesahne verschüttete und die Katze jagte. Aber nun sollst du von einigen anderen Tagen aus Michels Leben hören, an denen mehr geschah, entweder weil er Unfug machte, wie Lina sagte, oder weil es einfach von selbst so kam, da immer so viel mit Michel passierte.

Wir können ja mit einem Dienstag anfangen. Es war

Dienstag, der 22. Mai,

als Michel den Kopf in die Suppenschüssel steckte

An diesem Tag gab es auf Katthult Rindfleischsuppe zu Mittag. Lina hatte die Suppe in der mit Blumen bemalten Suppenschüssel aufgetragen, und alle saßen um den Küchentisch und aßen ihre Suppe, besonders Michel. Er mochte Suppe, und man hörte es, wenn er sie aß.

»Musst du so schlürfen?«, fragte seine Mama.

»Sonst weiß man doch nicht, dass es Suppe ist«, sagte Michel. Alle durften essen, so viel sie konnten, und dann war die Schüssel leer. Es war nur noch ein ganz, ganz kleiner Schluck auf dem Schüsselboden übrig geblieben. Diesen Schluck wollte Michel haben, und die einzige Möglichkeit, an ihn heranzukommen, war, den Kopf in die Suppenschüssel zu stecken und den Schluck auszuschlürfen. Das tat Michel, und sie hörten sehr deutlich, wie er da drinnen schlürfte.

Aber dann wollte Michel den Kopf wieder herausziehen, und – kaum zu glauben – es *ging* nicht. Er saß fest. Nun bekam er Angst und sprang vom Tisch auf, und da stand er, die Suppenschüssel wie einen Kübel auf dem Kopf. Sie reichte weit herunter, über Augen und Ohren. Michel zerrte an der Schüssel und schrie. Lina wurde auch ängstlich.

»Unsere schöne Suppenschüssel«, sagte sie. »Unsere feine geblümte Suppenschüssel! Wo sollen wir jetzt die Suppe reintun?«

Denn wenn Michel in der Suppenschüssel war, konnte keine Suppe hinein, so viel verstand sie, wenn sie auch sonst nicht besonders viel verstand.

Aber Michels Mama dachte mehr an Michel.

»Lieber Himmel, wie sollen wir den Jungen da herausbekommen? Wir müssen den Schürhaken nehmen und die Schüssel zerschlagen.«

»Bist du noch bei Trost!«, rief Michels Papa. »Die Schüssel hat doch vier Kronen* gekostet!«

»Ich werd's mal versuchen«, sagte Alfred, der ein starker und tüchtiger Knecht war. Er packte die beiden Henkel und hob die Suppenschüssel mit aller Kraft hoch. Aber was half das? Michel ging mit hoch, denn er saß fürwahr gründlich fest. Und da hing er nun und zappelte mit den Beinen, um wieder auf den Fußboden zu kommen.

»Lass sein! Lass mich runter! Lass sein, hab ich gesagt!«, schrie er. Und da ließ Alfred es sein.

Nun waren alle richtig traurig. Sie standen in der Küche um Michel herum und dachten nach. Papa Anton, Mama Alma, die

* Schwedisches Geld: 1 Krone = 100 Öre

kleine Ida, Alfred und Lina. Keiner wusste, wie Michel aus der Suppenschüssel herauszubekommen war.

»Guckt mal, Michel weint«, sagte die kleine Ida und zeigte auf ein paar dicke Tränen, die unter dem Rand der Suppenschüssel hervorsickerten und langsam an Michels Backen herunterrollten.

»Das tu ich nicht«, sagte Michel. »Das ist Fleischsuppe.«

Er schien so trotzig zu sein wie immer, aber besonders lustig war es wohl nicht, in einer Suppenschüssel festzusitzen. Und was sollte nur werden, wenn er die Suppenschüssel *nie mehr* loswurde? Armer Michel, wann konnte er dann wohl seine Müsse aufsetzen?

Michels Mama tat ihr kleiner Junge leid. Wieder wollte sie

den Schürhaken nehmen und die Schüssel zerschlagen, aber sein Papa sagte:

»Nie im Leben! Die Schüssel hat vier Kronen gekostet. Da ist es schon besser, wir fahren nach Mariannelund zum Doktor. Er wird sie schon loskriegen. Er nimmt jedenfalls nur drei Kronen, und auf diese Weise verdienen wir eine Krone.«

Michels Mama fand diesen Einfall gut. Schließlich kann man nicht jeden Tag eine ganze Krone verdienen. Wenn man bedenkt, wie viel Hübsches man dafür kaufen konnte, vielleicht etwas für Klein-Ida, die zu Hause bleiben musste, während Michel eine Ausfahrt machte.

Jetzt hatten sie es eilig auf Katthult. Michel sollte fein gemacht werden, er musste gewaschen werden und man musste ihm seinen besten Anzug anziehen. Kämmen konnte man ihn ja nicht und ihm auch nicht die Ohren waschen, obwohl das sehr nötig war. Seine Mama versuchte allerdings, einen Zeigefinger unter die Kante der Suppenschüssel zu schieben, um Michels Ohren auszukratzen, aber das endete übel, denn auch sie blieb in der Suppenschüssel stecken.

»Jaja, so geht es«, sagte die kleine Ida, und Papa Anton wurde richtig wütend, obgleich er doch sonst so nett war.

»Will sich vielleicht noch jemand in der Suppenschüssel festklemmen?«, schrie er. »Macht das nur, dann kann ich gleich den großen Heuwagen nehmen und ganz Katthult zum Doktor nach Mariannelund karren.«

Aber Michels Mama zog kräftig und bekam den Finger wieder heraus.

»Du kannst mit ungewaschenen Ohren fahren, Michel«, sagte sie und pustete auf ihren Finger. Da erschien ein zufrie-

denes Lächeln unterhalb der Suppenschüsselkante, und Michel sagte:

»Das ist der erste richtige Nutzen, den ich von dieser Suppenschüssel habe.«

Aber nun war Alfred mit Pferd und Wagen an der großen Treppe vorgefahren, und Michel kam heraus, um in den Kutschwagen zu klettern. Er sah sehr fein aus in seinem gestreiften Sonntagsanzug und seinen schwarzen Knopfstiefeln und der Suppenschüssel – na ja, er sah vielleicht etwas ungewöhnlich aus mit der Suppenschüssel auf dem Kopf, aber sie war mit Blumen bemalt und hübsch und glich beinahe einer Art neumodischem Sommerhut. Das Einzige, was auffiel, war, dass dieser Hut ziemlich tief über Michels Augen herunterreichte.

Und nun wollten sie sich auf den Weg nach Mariannelund machen.

»Passt gut auf Klein-Ida auf, während wir fort sind«, rief

Michels Mama. Sie saß mit Michels Papa auf dem Vordersitz. Auf dem hinteren Sitz saß Michel mit der Suppenschüssel. Und seine Müsse hatte er neben sich auf dem Sitz. Er musste doch auch etwas auf dem Kopf haben, wenn er nach Hause fuhr. Wie gut, dass er daran gedacht hatte!

»Was soll ich zum Abendbrot kochen?«, schrie Lina, gerade als der Wagen anrollte.

»Mach, was du willst«, rief Michels Mama. »Ich hab jetzt an anderes zu denken.«

»Dann koch ich wohl Rindfleischsuppe«, sagte Lina. Aber im selben Augenblick sah sie etwas Geblümtes hinten an der Wegbiegung verschwinden, und ihr fiel wieder ein, was geschehen war. Sie wandte sich sorgenvoll zu Alfred und der kleinen Ida.

»Dann wird's wohl nur Brot und kaltes Schweinefleisch geben«, sagte sie.

Michel war schon mehrere Male nach Mariannelund gefahren. Ihm hatte es gefallen, hoch oben auf dem Kutschwagen zu sitzen und zu sehen, wie sich der Weg schlängelte, und die Höfe anzuschauen, an denen er vorbeifuhr, und die Kinder, die auf den Höfen wohnten, und die Hunde, die hinter den Zäunen bellten, und die Pferde und Kühe, die auf den Wiesen weideten. Aber jetzt war es weniger schön. Jetzt saß er da mit einer Suppenschüssel über den Augen und sah nur ein kleines Stück von seinen eigenen Knopfstiefeln – durch den schmalen Spalt unter der Suppenschüsselkante. Immerfort musste er seinen Papa fragen: »Wo sind wir jetzt? Sind wir schon am Pfannkuchenhof vorbeigefahren? Kommen wir bald zum Schweinehof?«

Michel hatte sich nämlich für alle Höfe, die am Weg lagen, eigene Namen ausgedacht. Pfannkuchenhof hieß ein Hof,

weil dort einmal zwei dicke kleine Kinder am Zaun gestanden und Pfannkuchen gegessen hatten, als Michel vorbeigefahren war. Und der Schweinehof war nach einem kleinen lustigen Schweinchen benannt, dem Michel manchmal den Rücken kraulte.

Aber jetzt saß Michel so traurig und guckte auf seine

Knopfstiefel hinunter und sah weder Pfannkuchen noch lustige Schweinchen. Kein Wunder, dass er quengelte:

»Wo sind wir jetzt? Sind wir nicht bald in Mariannelund?«

Das Wartezimmer des Arztes war voller Leute, als Michel mit seiner Suppenschüssel hereinkam. Alle, die dort saßen, bedauerten ihn sofort. Sie begriffen, dass ein Unglück geschehen war. Nur ein kleiner alter Mann lachte boshaft, als sei es etwas Lustiges, in Suppenschüsseln festzustecken.

»Hohoho«, sagte der Alte. »Frierst du an den Ohren, Junge?«

»Nee«, sagte Michel.

»So? Wozu brauchst du dann den Ohrenschützer?«, fragte der Alte.

»Weil ich sonst an den Ohren friere«, sagte Michel. Er konnte wahrhaftig witzig sein, wenn er auch klein war.

Aber dann durfte Michel zum Doktor hinein, und der Doktor lachte nicht über ihn. Er sagte nur:

»Guten Tag, guten Tag! Was machst du denn da drinnen?«

Michel konnte den Doktor zwar nicht sehen, aber begrüßen musste er ihn jedenfalls. Deshalb verbeugte er sich, so tief er konnte – mitsamt der Suppenschüssel natürlich. Da krachte es. Peng!, machte es, und da lag die Suppenschüssel und war in

zwei Teile zersprungen. Denn so hart hatte Michel den Kopf auf den Schreibtisch des Doktors geschlagen.

»Da sind vier Kronen in Scherben gegangen«, sagte Michels Papa leise zu Michels Mama. Doch der Doktor hörte es.

»Ja, aber Sie haben trotzdem eine Krone verdient«, sagte er. »Denn ich pflege fünf Kronen zu nehmen, wenn ich kleine Jungen aus Suppenschüsseln heraushole. Und nun hat er die Sache ja selbst erledigt.«

Da wurde Michels Papa froh, und er war Michel dankbar, der die Schüssel zerschlagen und eine Krone verdient hatte. Schnell nahm er die Schüsselhälften und Michel und Michels Mama und ging.

Aber als sie auf die Straße kamen, sagte Michels Mama: »Wie schön, jetzt haben wir *wieder* eine Krone verdient! Was wollen wir dafür kaufen?«

»Hier wird nichts gekauft«, sagte Michels Papa. »Die Krone werden wir sparen. Aber es ist nicht mehr als recht und billig,

wenn Michel fünf Öre bekommt, die darf er zu Hause in sein Sparschwein stecken.«

Und er nahm sofort ein Fünförestück aus seiner Geldbörse und gab es Michel. Rat mal, ob Michel da wohl glücklich war!

Und dann machten sie sich auf den Heimweg nach Lönneberga. Michel saß vergnügt auf der hinteren Sitzbank mit dem Fünförestück in der Faust und seiner Müsse auf dem Kopf und sah auf alle Kinder und Hunde und Pferde und Kühe und Schweine herab, an denen sie vorbeifuhren.

Wäre Michel nun ein gewöhnlicher Junge gewesen, so wäre an diesem Tag nichts mehr passiert. Aber Michel *war* kein gewöhnlicher Junge. Rat mal, was er tat! Vergnügt, wie er so dasaß, steckte er das Fünförestück in den Mund, und gerade als sie am Schweinehof vorbeifuhren, hörte man vom hinteren Sitz ein kleines Plopp. Das war, als Michel das Fünförestück verschluckte.

»Oh«, sagte Michel, »das ging aber fix!«

Nun gab es neuen Jammer für Michels Mama.

»Lieber Himmel, wie sollen wir die fünf Öre aus dem Jungen herausbekommen? Wir müssen zum Doktor zurückfahren.«

»So, du kannst aber fein rechnen«, sagte Michels Papa. »Sollen wir dem Doktor fünf Kronen bezahlen, um ein Fünförestück zurückzubekommen? Was hattest du eigentlich im Rechnen, als du zur Schule gingst?«

Michel aber nahm die Sache ruhig. Er klopfte sich auf den Bauch und sagte:

»Ich kann mein eigenes Sparschwein sein und meine fünf Öre genauso gut im Bauch haben wie im Sparschwein zu Hause. Denn dort bekommt man auch nichts heraus. Ich hab es mit einem Küchenmesser versucht, ich weiß das also.«

Aber Michels Mama gab nicht nach. Sie wollte zurück zum Doktor nach Mariannelund.

»Ich habe damals nichts gesagt, als er alle Hosenknöpfe verschluckt hat«, erinnerte sie Michels Papa. »Aber ein Fünförestück ist schwerer verdaulich, das kann böse ausgehen, glaub mir!«

Und sie schaffte es, Michels Papa solche Angst zu machen, dass er das Pferd wendete und nach Mariannelund zurückfuhr. Denn Michels Papa hatte wahrlich auch Angst um seinen Jungen.

Außer Atem kamen sie zum Arzt hinein.

»Habt ihr etwas vergessen?«, fragte der Arzt.

»Nein, Herr Doktor, es ist nur ... der Michel hat ein Fünförestück verschluckt«, sagte Michels Papa. »Also wenn Sie ihn ein wenig operieren würden ... für vier Kronen oder so ... Das Fünförestück könnten Sie ja auch behalten ...«

und zu ein bisschen, wenn er ein Stück von ihrer Zuckerstange haben wollte.

Aber dann wurde es dunkel, und Michel und Klein-Ida fanden, es sei Zeit hineinzugehen. Sie gingen in die Küche, um zu sehen, ob ihre Mama da war. Sie war nicht da. Keiner war da. Nur die Suppenschüssel. Sie stand auf dem Tisch, zusammengekittet und schön.

Michel und die kleine Ida stellten sich vor den Tisch, um die seltsame Schüssel anzusehen, die den ganzen Tag herumgefahren worden war.

»Denk nur, bis nach Mariannelund«, sagte Klein-Ida. Und dann sagte sie: »Wie hast du das nur geschafft, Michel, den Kopf in die Schüssel zu stecken?«

»Das war doch keine Kunst«, sagte Michel. »Ich hab nur *so* gemacht!«

Gerade da kam Michels Mama in die Küche. Und das Erste, was sie sah, war Michel, der dastand mit der Suppenschüssel über dem Kopf. Michel zerrte an der Schüssel, die kleine Ida

schrie. Michel schrie auch. Denn nun saß er ebenso gründlich fest wie vorher.

Da nahm seine Mama den Schürhaken und schlug damit auf die Suppenschüssel, dass es in ganz Lönneberga zu hören war. Peng!, machte es und die Suppenschüssel sprang in tausend Stücke. Die Scherben fielen wie Regen über Michel.

Michels Papa war draußen im Schafstall; aber er hatte den Lärm gehört, und nun kam er angerannt.

Er blieb auf der Küchenschwelle stehen. Still stand er da und sah Michel und die Scherben und den Schürhaken, den Michels Mama in der Hand hielt.

Kein Wort sagte Michels Papa. Er drehte sich um und ging zurück in den Schafstall.

Aber zwei Tage später bekam er fünf Öre von Michel, das war wenigstens ein kleiner Trost.

Ja, nun weißt du ungefähr, wie Michel war. Es war Dienstag, der 22. Mai, als das geschah, das mit der Suppenschüssel. Aber vielleicht willst du auch etwas von jenem Sonntag hören. Es war

Sonntag, der 10. Juni,

als Michel die kleine Ida an der Fahnenstange hochzog

S onntag, den 10. Juni, war ein Festessen auf Katthult. Viele Leute sollten aus Lönneberga und von woandersher kommen. Michels Mama hatte mehrere Tage lang Essen gekocht.

»Das hier wird teuer«, sagte Michels Papa. »Aber wenn schon gegessen werden soll, dann *soll* gegessen werden! Nur nicht knausern! Obwohl man die Fleischklöße ruhig etwas kleiner hätte machen können.«

»Ich mache die Fleischklöße genau richtig«, sagte Michels Mama. »Genau richtig groß, genau richtig rund und genau richtig braun.«

Und das stimmte. Außerdem machte sie Rippchen und Kalbsrouladen und Heringssalat und eingelegten Hering und Apfelkuchen und Aal in Gelee und Geschmortes und Pudding und zwei riesige Käsekuchen und dann eine besondere Art Wurst, die so gut war, dass viele Leute gern lange Wege fuhren, sogar von Vimmerby und Hultsfred her, nur um sie essen zu können.

Auch Michel mochte diese Wurst sehr gern.

Nun war dieser Tag wirklich dazu geschaffen, ein Fest zu feiern. Die Sonne schien, die Apfelbäume und der Flieder blühten. Die Luft war voll Vogelgesang, ganz Katthult war so schön wie ein Traum, wie es da auf seiner Anhöhe lag. Der Hof war frisch geharkt, das Haus an allen Ecken und Kanten gescheuert, das Essen war fertig, es fehlte nichts mehr. Doch, etwas fehlte.

»Oh, wir haben ja vergessen, die Flagge zu hissen«, sagte Michels Mama.

Das brachte Michels Papa in Trab. Er sauste hinaus zur Fahnenstange, und dicht hinter ihm her rannten Michel und Klein-Ida. Sie wollten sehen, wie die Flagge hochgezogen wurde.

»Ich glaube, das wird diesmal ein lustiges und gemütliches Essen«, sagte Michels Mama zu Lina, als sie allein in der Küche waren.

»Ja, aber wäre es nicht sicherer, den Michel einzusperren wie das letzte Mal?«, fragte Lina.

Michels Mama sah sie vorwurfsvoll an, sagte aber nichts.

Da warf Lina den Kopf in den Nacken und murmelte:

»Na ja, meinetwegen! Wir werden ja sehen, was passiert.«

»Michel ist ein netter kleiner Junge«, sagte seine Mama sehr bestimmt. Durch das Küchenfenster konnte sie sehen, wie der nette Junge herumlief und mit seiner kleinen Schwester spielte. Alle beide waren sie so schön wie zwei kleine Engel, fand Michels Mama, Michel in seinem gestreiften Sonntagsanzug und mit der Schirmmütze auf dem wolligen Kopf, Ida in dem neuen roten Kleid und mit der weißen Schärpe um den rundlichen Bauch. Michels Mama schmunzelte. Aber dann schaute sie unruhig den Weg hinunter und sagte:

»Wenn doch Anton endlich die Flagge hissen würde, denn

unsere
Gäste können
jeden Augenblick hier sein.«

Es sah aus, als müsste alles gut gehen.

Aber wie ärgerlich – gerade als Michels Papa mit der Flagge beschäftigt war, kam Alfred vom Stall her gelaufen und rief:

»Die Kuh kalbt, die Kuh kalbt!«

37

Das war natürlich Broka – so eine unvernünftige Kuh, ausgerechnet jetzt musste sie kalben, wo es so eilig war mit allem
anderen und die Flagge gerade hochsteigen sollte!

Michels Papa musste alles
liegen lassen und zum Stall
rennen. Aber Michel und Ida
standen noch bei der Fahnenstange.

Ida legte den Kopf nach hinten, so weit sie konnte, und sah
empor zu der Goldkugel an der
Spitze der Stange.

»Wie hoch sie ist«, sagte sie. »Von dort oben kann man bestimmt bis nach Mariannelund sehen!«

Michel dachte nach, aber nicht lange.

»Das können wir schnell ausprobieren«, sagte er. »Willst
du, dass ich dich hochziehe?«

Klein-Ida lachte. Oh, wie nett doch Michel war, und was für
lustige Ideen er immer hatte!

»Ja, ich möchte Mariannelund sehen«, sagte Klein-Ida.

»Das sollst du haben«, sagte Michel freundlich. Er nahm
den Haken, der dazu da war, die Flagge einzuhaken, und hak-
te ihn in Idas Schärpe. Dann nahm er die Flaggenleine fest in
beide Hände.

»Jetzt geht's los«, sagte Michel.

»Hihi«, lachte Klein-Ida.

Und hoch ging es mit der kleinen Ida – bis hinauf zur Spitze der Fahnenstange. Dann band Michel die Leine fest, genau
so, wie Papa es immer machte, denn er wollte nicht, dass Ida

herunterfiel und sich wehtat. Und da oben hing sie nun, so fest und ordentlich wie nie zuvor.

»Siehst du Mariannelund?«, schrie Michel.

»Nein«, schrie die kleine Ida, »nur Lönneberga.«

»Ach, nur Lönneberga … Du willst also wieder runter?«, schrie Michel.

»Nein, noch nicht«, schrie Ida. »Es macht doch auch Spaß, Lönneberga zu sehen, aber – oh, jetzt kommt der Besuch! Jetzt kommen sie alle!«

Und sie kamen wahrhaftig. Der Hofplatz war bereits voll

mit Wagen und Pferden, und bald strömten die Gäste durch
die Pforte und gingen langsam auf das Haus zu.

Voran ging die feine Frau Petrell. Sie war sogar mit der Kutsche von Vimmerby gekommen, um von Mutter Almas Wurst
zu essen. Sie war eine sehr feine Frau mit Straußenfedern auf
dem Hut und prächtig von vorn und von hinten. Zufrieden sah
sie sich um. Katthult war schön, wie es so dalag im Sonnenschein, zwischen Apfelbäumen und Flieder. Oh, es war alles so
festlich, und die Fahne war gehisst. Ja, sie war gehisst, das sah
Frau Petrell, wenn sie auch etwas kurzsichtig war.

Die Fahne? Plötzlich blieb Frau Petrell ganz verwirrt stehen.
Was in aller Welt dachten sich Svenssons auf Katthult? Das
musste man sich wirklich fragen.

Michels Papa kam gerade aus dem Stall, und Frau Petrell
rief ihm zu:

»Bester Anton, was soll das hier bedeuten? Warum habt ihr den Danebrog gehisst?«

Michel stand neben ihr. Er wusste nicht, was der Danebrog war. Er hatte keine Ahnung, dass das der Name für die rot-weiße Flagge war, die sie in Dänemark haben, wo die Dänen wohnen. Aber so viel wusste er, dass das Rote und Weiße an der Spitze seiner Fahnenstange kein Danebrog war.

»Hihi«, sagte Michel, »das ist nur Klein-Ida!«

Und die kleine Ida hoch oben lachte auch.

»Hihi, ich bin es nur!«, schrie sie. »Ich kann ganz Lönneberga sehen.«

Michels Papa lachte nicht. Er beeilte sich, Klein-Ida herunterzulassen, und da sagte Ida:

»So viel Spaß hab ich nicht mehr gehabt, seit Michel mich damals in das Preiselbeermus getaucht hat.«

Sie meinte den Tag, als sie Indianer gespielt hatten und als Michel sie in den großen Preiselbeerbottich gestopft hatte, damit sie am ganzen Körper rot wurde wie ein Indianer.

Ja, Michel sorgte schon dafür, dass Ida Spaß hatte. Aber niemand dankte es ihm. Im Gegenteil! Jetzt packte ihn sein Papa hart am Arm und schüttelte ihn.

»Was hab ich gesagt«, sagte Lina, als sie die beiden zum Tischlerschuppen gehen sah. Das war der Platz, wo Michel immer sitzen musste, wenn er Unfug gemacht hatte.

Michel schrie und weinte. »Sie wollte doch Ma-ri-an-ne-lu-und sehen«, schluchzte er.

Michel fand seinen Papa ziemlich ungerecht. Keiner hatte ihm jemals gesagt, dass er der kleinen Ida nicht Mariannelund zeigen dürfe. Und es war nicht seine Schuld, dass sie nicht mehr sehen konnte als Lönneberga!

Michel hörte nicht auf zu weinen. Aber nur, bis sein Papa die Tür abgeschlossen hatte und gegangen war. Dann hörte er auf. Eigentlich war es gemütlich im Tischlerschuppen. Da gab es so viele Holzstücke und Bretterreste, aus denen man etwas machen konnte. Michel schnitzte sich jedes Mal, wenn er nach irgendeinem Unfug im Tischlerschuppen saß, ein lustiges Männchen. Er hatte schon vierundfünfzig Stück, und es sah ganz so aus, als könnten es mehr werden.

»Ich pfeif auf ihr altes Festessen«, sagte Michel. »Papa kann die Flagge selbst hissen, wenn er will. Ich werde mir einen neuen Holzmann schnitzen und die ganze Zeit böse und schrecklich sein.« Michel wusste, dass man ihn bald herauslassen würde. Er brauchte nie lange im Tischlerschuppen zu sitzen.

»Nur bis du ordentlich über deinen Unfug nachgedacht hast«, sagte sein Papa immer, »damit du es nicht noch einmal tust.«

Und Michel war insoweit folgsam, als er selten denselben Unfug ein zweites Mal machte, sondern immer etwas Neues erfand. Nun saß er da und schnitzte an seinem hölzernen Männchen und dachte über den Unfug mit Ida nach. Das war bald geschafft, denn sehr viel dachte er nicht, und er schnitzte schnell und geübt.

Danach wollte Michel hinaus. Aber sie mussten ihn über all dem Festessen vergessen haben. Er wartete und wartete, aber niemand kam. Also begann Michel zu überlegen, wie er sich selbst befreien könnte.

Durch das Fenster vielleicht! Das kann doch nicht so schwer sein, dachte Michel. Es war zwar hoch oben, aber er konnte gut auf den Bretterstapel klettern, der so bequem ganz dicht an der Wand lag.

Michel öffnete das Fenster und wollte hinausspringen. Aber da sah er all die grässlichen Brennnesseln, die dort unten wuchsen. Es ist abscheulich, mitten in einen Haufen Brenn-

nesseln zu springen. Michel hatte das einmal gemacht, nur um auszuprobieren, wie sich das anfühlte. Nun wusste er es und wollte es nicht noch einmal tun.

»Ich bin doch nicht verrückt«, sagte Michel. »Sicher fällt mir was Besseres ein.«

Wenn du jemals auf so einem Hof wie Katthult gewesen bist, dann weißt du, dass sich dort ganz schön viele Häuser drängeln. Man kriegt Lust, Verstecken zu spielen, sobald man dorthin kommt. Auf Katthult gab es nicht nur eine Scheune und einen Stall für die Pferde und die Kühe und einen Schweinestall und einen Hühnerstall und einen für die Schafe, sondern auch noch eine Menge anderer kleiner Häuser und Schuppen. Es gab ein Räucherhaus, wo Michels Mama ihre gute Wurst räucherte, und ein Waschhaus, wo Lina all die schmutzige Wäsche wusch, und dann standen dort noch zwei andere Häuser dicht beieinander. In dem einen waren der Holzschuppen und der Tischlerschuppen und in dem anderen die Mangelstube und die Vorratskammer.

Michel und die kleine Ida spielten abends oft Verstecken und schlichen zwischen all diesen Häusern herum. Natürlich nicht dort, wo Brennnesseln standen.

Aber gerade jetzt konnte Michel überhaupt nicht spielen. Er saß fest, und das nur, weil so viele Brennnesseln auf dem kleinen Fleck zwischen dem Tischlerschuppen und der Vorratskammer wuchsen.

Michel dachte nach. Er sah, dass das Fenster zur Vorratskammer offen stand, und da kam ihm eine gute Idee. Es musste doch ganz einfach sein, ein Brett zwischen das Tischlerschuppenfenster und das Vorratskammerfenster zu legen und darauf hinüberzukriechen. Er hatte nun wirklich genug davon, im Tischlerschuppen zu sitzen, und außerdem wurde er hungrig.

Michel dachte nie lange nach, wenn er seine guten Einfälle bekam. Im Handumdrehen lag das Brett da, und Michel begann zu kriechen. Das sah gefährlich aus, denn das Brett war schmal und Michel schwer.

»Geht das hier gut, dann soll Ida meinen Hampelmann haben, das verspreche ich«, sagte Michel, während er kroch. Das Brett knackte so unheimlich, und als er die Nesseln unter sich sah, bekam er Angst und schwankte.

»Hilfe!«, rief Michel, und dann rutschte er ab. Es fehlte nicht viel, und er hätte in den Brennnesseln gelegen, aber im letzten Augenblick schlang er die Beine um das Brett, und er schaffte es, sich wieder hochzuziehen. Nun ging es besser, und er kroch hinüber in die Vorratskammer.

»Das hier war doch kein Kunststück«, sagte Michel. »Aber Ida soll jedenfalls meinen Hampelmann haben ... denke ich ... ein andermal ... falls er bis dahin vielleicht doch kaputtgegangen ist ... Ja, ich muss sehen, wie ich es mache ...«

Er gab dem Brett einen kräftigen Stoß, sodass es in den Tischlerschuppen zurückrutschte. Für Michel musste alles seine Ordnung haben. Er lief zur Tür und probierte, ob sie offen war. Sie war verschlossen.

»Wie ich mir's gedacht habe«, sagte Michel. »Aber sicher kommen sie bald und holen die Wurst, und dann kenne ich einen, der nach draußen entwischt.«

Michel schnupperte. Es roch gut in der Vorratskammer. Aber es gab dort auch viele Leckerbissen. Michel sah sich um. Ja, fürwahr, hier gab es zu essen! Oben unter dem Dach hingen geräucherte Schinken und runde Blutbrotplatten in lan-

gen Reihen, denn Michels Papa mochte Blutbrot mit Schweinefleisch und weißer Soße besonders gern. Und dort in einer Ecke, neben dem Klapptisch mit all den gelben Käsen und den Tonkrügen mit frisch gekirnter Butter, stand die Brotkiste mit all ihren herrlichen Brotlaiben. Hinter dem Tisch stand der

Holzbottich, voll mit eingesalzenem Schweinefleisch, und daneben der große Schrank, wo Michels Mama ihren Himbeersaft aufbewahrte und ihre Essiggurken und ihre Ingwerbirnen und ihr Erdbeergelee. Aber auf dem mittleren Brett im Schrank hatte sie ihre gute Wurst.

Michel mochte Wurst, wahrhaftig!

Das Festessen auf Katthult war nun in vollem Gange, die Gäste hatten Kaffee und viel Gebäck bekommen. Jetzt saßen sie da und warteten darauf, dass sie wieder hungrig wurden, damit sie Schweinebraten und Heringssalat und Wurst und all das andere essen konnten.

Aber plötzlich schrie Michels Mama auf:

»Oh, wir haben Michel ja vergessen! Nun hat er zu lange sitzen müssen, der arme Junge!«

Michels Papa lief sofort zum Tischlerschuppen, und die kleine Ida lief hinterher.

»Jetzt darfst du rauskommen, Michel«, rief Michels Papa und öffnete die Tür ganz weit. Rat mal, ob er überrascht war! Es war kein Michel da.

»Er ist durchs Fenster entwischt, dieser Lümmel«, sagte Michels Papa.

Aber als er hinausguckte und die Brennnesseln sah, die unter dem Fenster so gerade und aufrecht standen und überhaupt nicht heruntergetrampelt waren, kriegte er es mit der Angst.

»Das hier geht nicht mit rechten Dingen zu«, sagte er. »Da hat niemand hineingetreten, kein Menschenfuß zumindest.«

Klein-Ida fing an zu weinen. Was war mit Michel geschehen? Lina sang immer ein Lied, das sehr traurig war. Es handelte von einem Mädchen, das in eine weiße Taube verwandelt wurde und zum Himmel aufflog und nicht mehr in der scheußlichen Nageltonne sitzen musste, in die man es eingesperrt hatte. Michel war tatsächlich eingesperrt gewesen. Wer weiß, ob er nicht auch verwandelt worden und aufgeflogen war! Klein-Ida schaute sich um, ob eine Taube zu sehen war. Aber das Einzige, was sie sah, war eine fette weiße Henne, die vor dem Tischlerschuppen herumlief und Würmer pickte.

Die kleine Ida weinte und zeigte auf die Henne.

»Vielleicht ist das Michel«, sagte sie.

Michels Papa glaubte es nicht. Aber sicherheitshalber lief
er zu Michels Mama und fragte, ob sie jemals bemerkt hätte,
dass Michel fliegen könne.

Das hatte sie nicht. Und jetzt wurde es lebendig auf Katthult.
Das Essen konnte warten. Alle liefen hinaus, um Michel zu suchen.

»Er *muss* doch im Tischlerschuppen sein«, sagte Michels
Mama, und alle stürzten dorthin, um gründlicher nachzusehen.

Aber dort war kein Michel. Dort waren nur fünfundfünfzig
kleine Holzmännchen in einer Reihe auf einem Regal aufgestellt. Frau Petrell hatte noch nie so viele Holzmännchen auf
einmal gesehen, und sie fragte, wer sie geschnitzt hätte.

»Kein anderer als unser kleiner Michel«, sagte Michels Mama
und fing an zu weinen. »Er war so ein lieber kleiner Junge.«

»Oh ja«, sagte Lina und warf den Kopf in den Nacken. Und
dann fügte sie hinzu: »Das Beste wäre, noch in der Vorratskammer zu suchen.«

Dafür, dass es Linas Idee war, war es gar nicht so dumm.

Alle stürzten zur großen Vorratskammer. *Aber auch dort war kein Michel!*

Die kleine Ida weinte leise und ausdauernd, und als es niemand sah, ging sie zu der weißen Henne und flüsterte: »Flieg nicht zum Himmel auf, liebster Michel! Ich werde dir Hühnerfutter geben und Küchenabfälle, ganze Eimer voll, wenn du nur auf Katthult bleibst!«

Aber die Henne wollte nichts versprechen. Sie gackerte und ging ihrer Wege.

Ja, die armen Menschen auf Katthult, wie sie suchten! Im Holzschuppen und in der Mangelstube, aber da war kein Michel! Im Pferdestall, im Kuhstall, im Schweinestall und im Hühnerstall – da war kein Michel! Im Schafstall, im Räucherhaus und im Waschhaus – kein Michel! Schließlich sahen sie in den Brunnen. Auch dort war kein Michel, und das war ja immerhin gut, aber jetzt weinten sie alle zusammen. Und die Leute von Lönneberga, die auf dem Fest waren, flüsterten einander zu:

»Eigentlich war er ein lieber kleiner Kerl, dieser Michel! Ein richtig übler Bengel war er *nicht* – und das hab ich auch nie gesagt!«

»Er ist sicher in den Bach gefallen«, sagte Lina. Der Katthult-bach war wild und brausend und gefährlich, dort konnten kleine Kinder leicht ertrinken.

»Dahin durfte er nicht gehen, das weißt du doch«, sagte Michels Mama streng.

Lina warf den Kopf in den Nacken.

»Eben deswegen«, sagte sie.

Da liefen sie alle zum Bach. Zum Glück fanden sie Michel dort auch nicht. Trotzdem weinten sie noch mehr als vorher. Und Michels Mama hatte gedacht, es würde ein lustiges und gemütliches Festessen werden!

Nun gab es keine Stellen mehr, wo man suchen konnte.

»Was in aller Welt sollen wir tun?«, fragte Michels Mama.

»Auf jeden Fall müssen wir wohl etwas zu essen holen«,

sagte Michels Papa, und das war vernünftig, denn alle waren ja hungrig geworden, während sie sich sorgten und suchten.

Michels Mama fing sofort an, den Tisch zu decken. Als sie den Heringssalat hereintrug, weinte sie ein bisschen hinein, aber sie stellte ihn auf den Tisch, zusammen mit den Kalbsrouladen, dem Schweinebraten, den Käsekuchen und all dem anderen.

Frau Petrell leckte sich die Lippen. Das hier sah vielversprechend aus. Aber noch hatte sie die Wurst nicht gesehen, und das machte sie unruhig.

Doch in diesem Augenblick sagte Michels Mama:

»Lina, wir haben die Wurst vergessen! Lauf und hol sie.«

Lina lief. Alle warteten gespannt, und Frau Petrell nickte.

»Die Wurst, ja!«, sagte sie. »Die wird in dieser Trübsal gut schmecken.«

Da kam Lina zurück. Ohne Wurst.

»Kommt alle mit, dann zeig ich euch was«, sagte sie. Sie sah ein wenig merkwürdig aus, aber das kam öfter vor, das hatte nicht viel zu bedeuten.

»Was hast du dir jetzt für Dummheiten ausgedacht?«, fragte Michels Mama streng.

Lina sah noch merkwürdiger aus, und sie lachte leise und sonderbar. »Kommt mit«, sagte sie. Und sie gingen mit, alle, die zu dem Festessen auf Katthult gekommen waren.

Lina ging ihnen voran, und sie folgten ihr erstaunt zur Vorratskammer. Die ganze Zeit über hörten sie Lina leise und sonderbar vor sich hin lachen. Und Lina öffnete die schwere

Tür und stieg über die hohe Schwelle und führte sie zu dem großen Schrank und riss die Schranktür auf, dass es knallte, und zeigte auf das mittlere Regal, wo Michels Mama immer ihre guten Würste aufbewahrte.

Jetzt lag dort keine Wurst. Aber da lag Michel.

Er schlief. Inmitten einer Menge von Wurstpellen lag er und schlief, der reizende Junge, und seine Mama war so glücklich, als hätte sie einen großen Klumpen Gold in ihrem Schrank

gefunden. Was machte es, dass Michel alle Würste in sich hineingestopft hatte! Es war doch wohl tausendmal besser, Michel dort im Regal zu finden, als einige Kilo Wurst. Und das fand Michels Papa auch.

»Hihi, da liegt Michel«, sagte Klein-Ida. »Er ist nicht verwandelt, jedenfalls nicht sehr.«

Kaum zu glauben, dass ein kleiner, wiedergefundener Junge, der mit Wurst vollgestopft ist, so viele Menschen glücklich machen kann.

Jetzt wurde es zum Schluss doch noch ein lustiger und gemütlicher Schmaus auf Katthult. Michels Mama fand noch ein kleines Würstchen, das Michel nicht mehr geschafft hatte. Das bekam – zu ihrer großen Freude – Frau Petrell. Und all die anderen, die keine Wurst bekommen hatten, brauchten trotzdem nicht hungrig davonzugehen. Es gab ja noch Schweinebraten und Kalbsrouladen und Fleischklöße und eingelegten Hering und Geschmortes und Pudding und Aal in Gelee, so viel sie essen konnten. Und zum Abschluss bekamen sie den herrlichsten Käsekuchen mit Erdbeergelee und Schlagsahne.

»Das ist das Beste, was es gibt«, sagte Michel. Und wenn du jemals einen solchen Käsekuchen gegessen hast, wie es auf Katthult gab, dann weißt du, dass er ein wahres Wort gesprochen hat, der Michel.

Dann wurde es Abend, und die Dämmerung legte sich friedlich über Katthult und über ganz Lönneberga und ganz Småland. Michels Papa holte die Flagge ein. Michel und die kleine Ida standen dabei und sahen zu.

Und dann war der Schmaus auf Katthult zu Ende. Alle fuhren heim, jeder zu sich nach Hause. Ein Wagen nach dem anderen rollte davon. Als Letzte fuhr die feine Frau Petrell in ihrer Kutsche ab. Michel und Klein-Ida hörten das Klappern der Pferdehufe unten bei den Hügeln verhallen.

»Hoffentlich ist sie nett zu meiner kleinen Maus«, sagte Michel.

»Welche Maus?«, fragte Ida.

»Na, die, die ich ihr in die Handtasche gesteckt hab«, sagte Michel.

»Warum hast du das getan?«, fragte die kleine Ida.

»Ach, weil mir die Maus leidgetan hat«, sagte Michel. »Niemals in ihrem Leben hat sie etwas anderes gesehen als den großen Wurstschrank. Ich dachte, dass sie wenigstens einmal Vimmerby sehen müsste.«

»Wenn die Frau Petrell bloß nett zu ihr ist«, sagte die kleine Ida.

»Ach, das ist sie bestimmt«, sagte Michel.

Das war der 10. Juni, als Michel Klein-Ida an der Fahnenstange hochzog und die ganze Wurst aufaß. Vielleicht willst du als Letztes noch etwas vom 8. Juli hören. Es war

als Michel auf der Festwiese von Hultsfred ein »lustiges Leben führte«

Alfred, der Knecht, den sie auf Katthult hatten, mochte Kinder gern. Besonders Michel. Michel machte Unfug und war ein Wildfang, aber das kümmerte Alfred nicht. Er mochte Michel trotzdem, und er hatte ihm ein herrliches Holzgewehr geschnitzt. Es sah genauso aus wie eine richtige Büchse, wenn man damit natürlich auch nicht richtig schießen konnte.

Aber Michel schoss trotzdem mit seiner Büchse und schrie »Peng! Peng!«, sodass die Spatzen auf Katthult sich mehrere Tage lang nicht trauten auszugehen. Michel liebte seine Büchse und wollte sie nachts bei sich im Bett haben. »Ich will meine Büsse haben!«, schrie er im reinsten Småländisch, und er war unzufrieden, als seine Mama ihn falsch verstand und mit seiner »Müsse« angelaufen kam. »Ich will nicht meine Müsse haben«, brüllte Michel, »ich will meine Büsse haben!« Und dann bekam er sie.

Ja, Michel liebte seine Büchse, und noch mehr liebte er Alfred, der ihm das Holzgewehr geschnitzt hatte. Deshalb war es nicht verwunderlich, dass Michel weinte, als Alfred sich auf den Weg machte, um in Hultsfred seiner Militärpflicht zu genügen.

Du weißt wohl nicht, was man tut, wenn man seiner Militärpflicht genügt, aber siehst du, so nannte man das früher, wenn man Soldat wurde. Alle Knechte in Lönneberga und anderswo mussten ihrer Militärpflicht genügen und Soldaten werden.

»Dass es ausgerechnet gerade jetzt sein muss, wo wir das Heu einfahren wollen!«, sagte Michels Papa.

Es gefiel ihm gar nicht, Alfred mitten in der Ernte loszuwerden, denn dann hatte man Eile auf Katthult. Aber nicht Michels Papa bestimmte, wann die Knechte aus Lönneberga nach Hultsfred fahren sollten, um Soldaten zu werden, sondern der König und seine Generäle. Außerdem durfte Alfred ja wieder nach Hause kommen, wenn er fertig ausgebildet war, und das dauerte nicht lange. Also eigentlich brauchte Michel gar nicht zu weinen, aber er weinte trotzdem, und das tat Lina auch. Denn es war nicht nur Michel, der Alfred mochte.

Alfred weinte nicht. Er sagte, in Hultsfred könne man ein lustiges Leben führen und es überhaupt sehr schön haben. Und

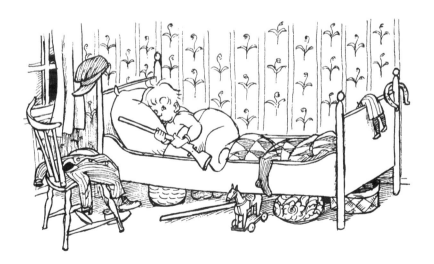

als der Wagen mit ihm davonfuhr und alle traurig dastanden und zum Abschied winkten, stand Alfred auf und sang und juchzte, damit sie sich keine Sorgen mehr machten.

Das war das Lied, das er sang:

»Auf der Festwiese von Ränne in Eksjöstadt,
da tanzt man die Polka so leicht und so glatt.
So, wie sich auf der Hultsfred-Wiese jedes Mädchen wiegt,
glaubt mir, auch dort gibts eine, die sich an dich schmiegt.
Halli hallo, halli dallido,
halli hallo, halli dallido!«

Und dann hörten sie nichts mehr von Alfred, denn Lina begann zu heulen, so laut sie konnte, und bald verschwand der Wagen mit Alfred hinten an der Wegbiegung.

Michels Mama versuchte Lina zu trösten.

»Sei doch nicht so traurig, Lina«, sagte sie. »Gedulde dich bis zum 8. Juli, dann ist das Fest auf der Wiese von Hultsfred, und dann fahren wir dorthin und besuchen Alfred.«

»Ich will auch nach Hultsfred fahren und ein lustiges Leben führen und Alfred besuchen«, sagte Michel.

»Ich auch«, sagte die kleine Ida.

Aber Michels Mama schüttelte den Kopf.

»Solche Feste sind nichts für kleine Kinder«, sagte sie. »Die gehen dort nur in dem Gedränge verloren.«

»Ich finde, es ist lustig, im Gedränge verloren zu gehen«, sagte Michel, aber das half nichts.

Am Morgen des 8. Juli fuhren die Eltern und Lina zum Fest nach Hultsfred und ließen Michel und Klein-Ida zu Hause bei Krösa-Maja, die auf sie aufpassen sollte. Krösa-Maja war ein altes Weiblein, das ab und zu nach Katthult kam und hier und dort ein wenig half.

Klein-Ida war ein braves Kind. Sie setzte sich sofort auf Krösa-Majas Schoß und bat sie, eine ihrer unheimlichsten Spukgeschichten zu erzählen, und damit war Ida zufrieden und glücklich.

Mit Michel war das anders. Er ging hinaus zum Stall mit

seiner Büchse in der Faust, so wütend, dass es um ihn herum knisterte.

»Darauf lasse ich mich nicht ein«, sagte Michel. »Ich will nach Hultsfred und ein lustiges Leben führen, genau wie die anderen, und jetzt ist es beschlossen. Hast du das verstanden, Julla?«

Das Letzte sagte er zu der alten Mähre, die da auf der Weide hinterm Stall graste. Sie hatten auch ein Jungpferd auf Katthult, das Markus hieß. Aber gerade jetzt war Markus unterwegs nach Hultsfred mit Michels Papa und Michels Mama und Lina. Jaja, einige konnten wegfahren und lustig sein!

»Aber ich weiß zwei, die ihnen nachsetzen, dass es ihnen nur so um die Ohren pfeift«, sagte Michel. »Und das sind wir, Julla, du und ich!«

Und so geschah es. Michel halfterte die alte Mähre und führte sie von der Weide.

»Du brauchst keine Angst zu haben«, sagte er zu Julla. »Alfred wird sich freuen, wenn ich komme, und du kannst sicher eine nette andere Mähre finden, mit der du zusammensitzen und wiehern kannst, falls du auch noch ein bisschen Freude am lustigen Leben hast.«

Er schob Julla zur Pforte, denn er brauchte etwas zum Hinaufklettern, wenn er auf den Pferderücken wollte. Ja, er war pfiffig, dieser Junge!

»Nun geht's los«, sagte Michel. »Halli hallo, halli dallido! Auf Wiedersehen sagen wir Krösa-Maja, wenn wir zurückkommen.«

Und so trabte Julla mit Michel los, die Hügel hinunter, und Michel saß da, aufrecht und kühn mit seinem Gewehr vor sich. Ja, das Gewehr musste mit nach Hultsfred, denn wenn Alfred nun Soldat war, so wollte Michel es auch sein. Alfred hatte sein Gewehr, Michel hatte seine Büchse, es war fast das Gleiche, Soldaten alle beide, und so sollte es sein, fand Michel.

Julla war alt, es ging nicht schnell, wie sie so den Weg ent-
langzuckelte, und damit sie nicht die Lust verlor, sang Michel
ihr etwas vor:

> »Mein' Mähre läuft nicht wie der Wind,
> weil ihre Bein' so klapprig sind.
> Was macht das?
> Sie trägt mich doch in guter Hut,
> und traben tut sie auch noch gut –
> auf geraden Wegen.«

Und wie Julla auch trabte und stampfte und zuckelte, schließlich kamen sie doch nach Hultsfred, sie und Michel.

»Hoi«, schrie Michel, »jetzt beginnt das lustige Leben!«

Aber dann schwieg er und riss die Augen auf. Natürlich wusste er, dass es viele Menschen auf der Welt gab, aber dass sich dieser ganze Haufen ausgerechnet auf der großen Festwiese von Hultsfred versammelt hatte, das hatte er nicht gewusst. Nie zuvor hatte er so viele Menschen gesehen, zu Tausenden standen sie um die große Wiese herum, und auf einem Fleck in der Mitte standen die Soldaten und schleuderten ihre Gewehre auf die Schultern und übten rechtsum und linksum und all das, was Soldaten so tun. Ein kleiner, dicker, böser Alter ritt auf einem Pferd herum und randalierte und schrie den Soldaten zu, was sie machen sollten. Und sie ließen ihn gewähren und taten, was er wollte. Das fand Michel komisch.

»Bestimmt hier nicht Alfred?«, fragte er einige Bauernjungen, die in der Nähe standen. Die aber sahen auf die Soldaten und antworteten ihm nicht.

Michel fand es ganz lustig, wie die Soldaten ihre Gewehre auf die Schultern warfen, wenn auch nicht sehr lange, und nun wollte er endlich Alfred sehen, deshalb war er ja schließlich hierhergekommen. Aber alle Soldaten hatten blaue Uniformen an und sahen so gleich aus. Alfred aus diesem Haufen herauszufinden würde nicht leicht sein.

»Oho, warte nur, bis Alfred *mich* sieht«, sagte Michel zu Julla. »Dann kommt er angerast, und dann kann dieser böse Alte selber mit dem Gewehr herumschleudern, wenn er will.«

Und damit Alfred ihn sehen konnte, ritt Michel an allen Soldaten vorbei und schrie so laut wie möglich:

»Wo bist du, Alfred? Komm her, dann wollen wir ein lustiges Leben führen! Siehst du nicht, dass ich es bin?«

Ja, natürlich sah Alfred, dass Michel gekommen war, Michel mit seiner Müsse und seiner Büsse und seiner alten Mähre. Aber Alfred stand mitten in dem Soldatenhaufen und traute sich nicht raus wegen dieses dicken, bösen Alten, der die ganze Zeit schrie und kommandierte.

Stattdessen ritt der kleine, dicke, böse Alte zu Michel heran und sagte richtig freundlich:

»Was ist passiert, mein Junge? Bist du deinen Eltern weggekommen?«

Das war das Dümmste, was Michel seit Langem gehört hatte.

»Ich bin doch wohl nicht weggekommen«, sagte er. »Ich bin doch hier! Wenn jemand weg ist, dann sind das Papa und Mama.«

Und damit hatte er recht. Kleine Kinder könnten auf der großen Festwiese von Hultsfred verloren gehen, hatte seine Mutter gesagt, aber nun stand sie wahrhaftig selbst, zusammen mit Michels Papa und Lina, mitten im ärgsten Menschengedränge, und sie fühlten sich alle drei ganz verloren, denn keiner von ihnen konnte sich vom Fleck rühren.

Aber Michel sahen sie, wirklich! Sie sahen ihn, als er dort ankam mit seiner Müsse und seiner Büsse und seiner alten Mähre, und Michels Papa sagte:

»Jetzt braut es sich für Michel zusammen – zu einem neuen Holzmännchen.«

»Das tut es«, sagte Michels Mama. »Aber wie kriegen wir ihn?«

Ja, das war es! Wenn du jemals auf so einem Fest wie auf der Wiese von Hultsfred gewesen bist, dann verstehst du, was für ein Trubel dort herrschte.

Sobald die Soldaten mit Üben aufgehört hatten und abmarschierten, wurde die ganze große Wiese auf einmal von Menschen überschwemmt. Es war ein solches Gewühl, dass man sich kaum selbst finden konnte, viel weniger Michel.

Nicht nur Michels Eltern suchten Michel, sondern auch Alfred. Denn er hatte jetzt frei und brauchte nicht mehr zu üben. Nun wollte er mit Michel zusammen sein und feiern. Aber es war einfach nicht möglich, in diesem Haufen Leute jemanden auf der Hultsfred-Wiese zu finden. Beinahe alle, die dort waren, liefen herum und suchten jemanden. Alfred suchte Michel, und Michel suchte Alfred, Michels Mama suchte Michel, Lina suchte Alfred, und Michels Papa suchte Michels Mama.

Ja, sie war eine Zeit lang richtig verloren gegangen, und Michels Papa musste zwei Stunden suchen, bis er sie endlich

fand – verzweifelt und zwischen zwei breiten, riesigen Männern aus Vimmerby eingeklemmt.

Aber Michel fand niemanden, und niemand fand Michel. Da begriff er, dass er allein mit dem lustigen Leben anfangen musste, wenn noch was draus werden sollte.

Doch bevor er beginnen konnte, musste er dafür sorgen, dass Julla irgendeine alte Mähre fand, mit der sie inzwischen wiehern konnte, das hatte er ihr ja versprochen.

Michel fand keine alte Mähre für Julla. Aber er fand Markus, und das war noch besser. Markus stand, an einen Baum gebunden, hinten am Waldrand und fraß Heu. Und ganz dicht dabei stand der alte Wagen der Katthulter, den Michel so gut kannte. Julla war froh, als sie Markus sah, das merkte man. Michel band sie an denselben Baum und holte einen Armvoll Heu aus dem Wagen. In jenen Zeiten hatte man das immer bei sich für die Pferde. Julla begann sofort zu fressen, und da spürte Michel, dass er auch hungrig war.

»Obwohl ich eigentlich kein Heu esse«, sagte Michel.

Und das war ja wohl auch nicht nötig. Auf der Wiese gab es massenhaft kleine Stände, an denen man sich Butterbrote und Würstchen und Brötchen und Torten kaufen konnte, so viel man wollte – wenn man nur Geld hatte.

Und für den, der ein lustiges Leben führen wollte, gab es dort eine Menge lustiger Sachen: einen Zirkus und eine Tanzfläche und einen Rummelplatz mit Karussell und anderen Vergnügen … Stell dir vor, dort gab es sogar einen Schwertschlucker, der Schwerter schlucken konnte, und einen Feuerfresser, der Feuer fressen konnte, und dann eine prächtige Dame mit einem Vollbart, die aber nichts anderes schlucken konnte als alle Stunde einmal Kaffee und Brötchen. Davon wurde sie natürlich nicht reich, aber glücklicherweise hatte sie ihren Bart. Den zeigte sie für Geld und verdiente damit richtig gut.

Alles kostete Geld auf der Festwiese in Hultsfred. Und Michel hatte kein Geld. Doch er war ein pfiffiger kleiner Bursche, wie ich schon sagte. Er wollte ja so viel wie möglich sehen, und er fing mit dem Zirkus an, weil es am leichtesten war. Er

brauchte nur an der Rückseite des Zeltes auf eine Kiste zu klettern und durch ein Loch in der Zeltplane zu gucken.

Aber Michel lachte so schrecklich über den Clown, der in der Manege herumsprang und seine Späße machte, dass er mit einem Krach von der Kiste fiel und sich den Kopf an einem Stein stieß. Da pfiff er auf den Zirkus. Im Übrigen war er hungrig, noch schlimmer als vorher.

»Ein lustiges Leben ohne Essen taugt nichts«, sagte Michel, »und ohne Geld bekomme ich nichts zu essen. Also muss ich jetzt nachdenken.«

Er hatte ja gesehen, dass man dort auf der Festwiese auf sehr verschiedene Weise Geld verdienen konnte, und da musste es für ihn doch auch eine Möglichkeit geben. Feuer und Schwerter konnte er nicht schlucken, einen Bart hatte er nicht – was sollte er machen?

Michel stand also da und dachte nach. Und dann sah er, dass ein armer, alter, blinder Mann auf einer Kiste mitten im Volksgedränge saß. Er sang die traurigsten Lieder, und es klang so jämmerlich, aber er bekam Geld dafür. Er hatte seinen Hut neben sich auf die Erde gelegt, und freundliche Menschen warfen die ganze Zeit Kleingeld hinein.

Das kann ich auch, dachte Michel, und zum Glück hab ich ja meine Müsse bei mir. Er legte die Mütze vor sich auf den Boden und stellte sich hin und fing an, denen, die zuhören wollten, etwas vorzusingen:

»Mein' Mähre läuft nicht wie der Wind …«

Im Nu waren eine Menge Leute um ihn herum.

»Oh, was für ein netter kleiner Junge!«, sagten sie. »Er muss sehr, sehr arm sein, wenn er hier rumsteht und für Geld singt.«

Zu der Zeit gab es viele arme Kinder, die nichts zu essen hatten, und jetzt kam eine freundliche Dame zu Michel heran und fragte:

»Mein kleiner Freund, hast du heute schon etwas zu essen gehabt?«

»Ja, aber nur Heu!«, sagte Michel.

Da tat er allen sehr leid. Ein netter kleiner Bauer aus Vena

hatte Tränen in den Augen. Er weinte über das arme Kind, das da so einsam stand und so schönes wolliges Haar hatte.

Alle fingen an, Zweiörestücke und Fünförestücke und Zehnörestücke in Michels Müsse zu werfen. Der kleine nette Bauer aus Vena suchte ein Zweiörestück aus der Tasche hervor, aber er besann sich, bevor es zu spät war, und steckte es wieder ein, und dann flüsterte er Michel zu:

»Wenn du mitkommst zu meinem Wagen, kannst du noch etwas mehr Heu haben!«

Aber Michel war ja jetzt reich und hatte die Mütze voller Geld. Er ging also lieber los und kaufte sich eine ganze Ladung Butterbrote und Brötchen und Kuchen und Saft.

Als er das alles in sich hineingestopft hatte, fuhr er zweiundvierzigmal Karussell – für vier Kronen und zwanzig Öre. Michel war noch nie Karussell gefahren. Er hatte nicht gewusst, dass es so was Lustiges auf der Welt gab.

Nun führe ich auf jeden Fall ein lustiges Leben, dachte er, als er in dem Karussell herumfuhr, dass sein wolliges Haar nur so wehte. Viel Spaß habe ich in meinem Leben schon gehabt, aber so was noch nie.

Dann sah er sich den Schwertschlucker und den Feuerfresser und die Dame mit dem Vollbart an, und nach dieser Prasserei hatte er nur noch zwei Öre.

Ich kann ja noch ein Liedchen singen und meine Müsse füllen, dachte Michel. Hier sind doch alle Menschen so freundlich.

Aber da spürte er, dass er müde war. Er wollte nicht mehr singen, Geld wollte er auch nicht mehr haben. Also gab er sein Zweiörestück dem blinden Alten. Dann schlenderte er ein bisschen herum und suchte nach Alfred.

Wenn Michel glaubte, *alle* Menschen seien freundlich, so
hatte er sich geirrt. Es gab schon den einen oder anderen, der
böse war und auch an diesem Tag auf die Festwiese in Hultsfred gekommen war. Zu jener Zeit trieb sich ein unheimlicher
Dieb in diesen Gegenden herum. Der Rabe wurde er genannt,
vor ihm fürchtete sich ganz Småland. Vieles konnte man über
seine Gaunerstücke in der »Småland-Zeitung« und in der

»Hultsfred-Post« lesen. Überall auf Festen oder Märkten und an anderen Stellen, wo Menschen und Geld die Runde machten, dort konnte man sicher sein, dass der Rabe auftauchte und stahl, was er nur kriegen konnte. Damit niemand ihn wiedererkennen konnte, hatte er jedes Mal verschiedene Backenbärte und Schnurrbärte angeklebt. Nun war er an diesem Tag auf die Festwiese nach Hultsfred gekommen und schlich dort mit einem schwarzen Schlapphut und falschem schwarzen Schnurrbart herum, um zu sehen, was es zu stehlen gab. Niemand wusste, dass es der Rabe war, der dort herumschlich, sonst hätten sie alle ordentlich Angst gehabt.

Aber wenn der Rabe klug gewesen wäre, dann wäre er nicht am selben Tag auf die Festwiese nach Hultsfred gekommen, an dem Michel aus Lönneberga mit seiner Büsse dort war.

Michel schlenderte also still herum und suchte nach Alfred. Da kam er an dem Zelt der Dame mit dem Vollbart vorbei, und durch die Zeltöffnung sah er, dass sie dort drinnen saß und Geld zählte. Sie wollte wohl wissen, wie viel sie mit ihrem Bart an einem einzigen gesegneten Sonntag in Hultsfred verdient hatte.

Wenig konnte es nicht sein, denn sie strich sich schmunzelnd und zufrieden den Bart. Und dann entdeckte sie Michel.

»Komm nur herein, du kleiner Junge«, rief sie. »Du darfst dir meinen Bart völlig umsonst angucken, weil du so nett aussiehst.«

Michel hatte den Bart ja eigentlich schon gesehen, aber wenn er eingeladen wurde, wollte er nicht Nein sagen. Und weil es nun völlig umsonst war, ging er in das Zelt hinein – mit seiner Müsse und seiner Büsse – und sah sich noch einmal ausgiebig die Dame mit dem Vollbart an, ungefähr für fünfundzwanzig Öre.

»Wie bekommt man so einen schönen Bart?«, fragte er höflich. Aber die bärtige Dame kam nicht mehr dazu, ihm zu antworten, denn im selben Augenblick zischte eine schreckliche Stimme:

»Gib sofort das Geld her, sonst reiß ich dir den Bart ab!«

Es war der Rabe. Er hatte sich ins Zelt geschlichen, ohne dass sie es gemerkt hatten.

Die bärtige Dame wurde weiß im Gesicht – außer dort natürlich, wo sie den Bart hatte. Die Ärmste, sie wollte gerade all ihr Geld dem Raben geben! Aber da flüsterte Michel:

»Nimm meine Büsse!«

Und die Dame mit dem Vollbart nahm das Holzgewehr, das Michel ihr so umsichtig zusteckte. Es war ziemlich dunkel im Zelt, man konnte nichts genau erkennen. Die bärtige Dame

glaubte, es sei ein richtiges Gewehr, eins, mit dem man schießen konnte. Und das Beste von allem: Der Rabe glaubte es auch!

»Hände hoch, sonst knallt's!«, schrie die Dame mit dem Vollbart. Und jetzt wurde der Rabe weiß im Gesicht und hob die Hände hoch und stand da und zitterte, während die bärtige Dame nach der Polizei brüllte, dass es auf der ganzen Festwiese von Hultsfred zu hören war.

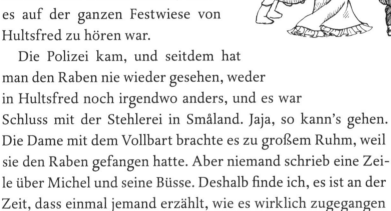

Die Polizei kam, und seitdem hat man den Raben nie wieder gesehen, weder in Hultsfred noch irgendwo anders, und es war Schluss mit der Stehlerei in Småland. Jaja, so kann's gehen. Die Dame mit dem Vollbart brachte es zu großem Ruhm, weil sie den Raben gefangen hatte. Aber niemand schrieb eine Zeile über Michel und seine Büsse. Deshalb finde ich, es ist an der Zeit, dass einmal jemand erzählt, wie es wirklich zugegangen ist.

»Es war schon ein Glück, dass ich beides nach Hultsfred mitgenommen habe, meine Müsse und meine Büsse«, sagte Michel, als die Polizisten mit dem Raben gegangen waren, um ihn ins Kittchen zu bringen.

»Ja, du bist ein tüchtiger kleiner Kerl«, sagte die Dame mit dem Vollbart. »Deshalb darfst du auch völlig umsonst meinen Bart ansehen, sooft du willst.«

79

Aber Michel war müde. Er wollte keinen Bart mehr sehen und kein lustiges Leben mehr führen oder sonst etwas. Er wollte nur schlafen. Denn jetzt wurde es Abend über der Festwiese von Hultsfred. Da war nun der ganze lange Tag dahingegangen – und er hatte Alfred nicht gefunden!

Michels Papa und Michels Mama und Lina waren auch müde. Sie hatten nach Michel gesucht und gesucht, jetzt war keiner von ihnen mehr imstande, noch länger zu suchen.

»Oh, meine Füße«, sagte Michels Mama, und Michels Papa nickte grimmig.

»Ja, es ist schon spaßig mit solchen Festen«, sagte er. »Kommt, wir fahren heim nach Katthult. Etwas anderes bleibt uns nicht übrig.«

Und sie schleppten sich zum Waldrand, um das Pferd anzuspannen und loszukommen.

Da sahen sie Julla am selben Baum wie Markus stehen und an ihrem Heu kauen.

Michels Mama fing an zu weinen.

»Ach, wo ist mein kleiner Michel?«, sagte sie. Aber Lina warf den Kopf zurück.

»Er macht nie was anderes als Unfug, dieser Bengel. Er ist ein richtiger Lausejunge!«, sagte Lina. Da hörten sie, wie jemand angerannt kam, jemand, der ziemlich atemlos war. Es war Alfred.

»Wo ist Michel?«, fragte er. »Ich hab ihn den ganzen Tag gesucht.«

»Ist mir egal, wo er ist«, sagte Lina. Dann stieg sie auf den Wagen, um nach Hause zu fahren. Und stell dir vor, da trat sie auf Michel!

Es war noch etwas Heu im Wagen übrig, und in diesem Heu lag Michel und schlief. Aber er wurde wach, als Lina auf ihn trat. Und er sah, wer neben dem Wagen stand, in blauer Uniform und außer Atem. Da hob Michel einen Arm und legte ihn Alfred um den Hals.

»Da bist du ja, Alfred«, sagte er. Dann schlief er wieder ein.

Und die Katthulter fuhren heim nach Katthult. Markus musste ziehen, und hinten, an den Wagen gebunden, zuckelte

Julla hinterher. Manchmal wachte Michel auf und sah den dunklen Wald und den hellen Sommerhimmel, und er spürte den Geruch von Heu und Pferden und Nacht und hörte die Hufe klappern und die Wagenräder knirschen. Sonst aber schlief er den Weg über und träumte, dass Alfred bald heimkommen würde. Nach Katthult und zu Michel. Und das würde er ja auch.

Das also war der 8. Juli, an dem Michel auf der Festwiese von Hultsfred ein lustiges Leben führte. Was meinst du, ob es noch jemanden gab, der an diesem Tag nach Michel gesucht hatte? Frag Krösa-Maja! Nein, tu es lieber nicht, denn sonst bekommt Krösa-Maja wieder rote Flecken an den Armen, die den ganzen Tag nicht weggehen.

Nun hast du gehört, was Michel am 7. März und am 22. Mai und am 10. Juni und am 8. Juli getan hat, aber es gibt noch viele andere Tage im Kalender für einen, der Unfug machen will, und das wollte Michel. Beinahe jeden Tag, das ganze Jahr hindurch, machte er Unfug, besonders aber am 19. August, am 11. Oktober und am 3. November.

Hohoho, ich muss lachen, wenn ich daran denke, was er am 3. November angestellt hat. Aber das erzähle ich nicht, das habe ich Michels Mama versprochen. Obgleich danach die große Sammlung stattfand, die die Leute von Lönneberga unter sich veranstalteten. Die Svenssons auf Katthult mit ihrem Lausejungen von Bengel taten ihnen leid. Deshalb legten sie zusammen und gaben jeder fünfzig Öre. Mit dem Geld in einem kleinen Bündel kamen sie zu Michels Mama.

»Vielleicht reicht das, damit ihr Michel nach Amerika schicken könnt«, sagten sie.

Ja, das wäre schön gewesen! Michel nach Amerika zu schicken ... Wer weiß, wen sie dann zum Gemeinderatspräsidenten bekommen hätten? Ich meine, später, als es mit ihm so weit war.

Zum Glück ging Michels Mama nicht auf derartig dumme Vorschläge ein. Sie wurde wütend und schleuderte das Bündel von sich, sodass das Geld über ganz Lönneberga flog.

»Michel ist ein netter kleiner Junge«, sagte sie. »Und wir haben ihn lieb, so wie er ist!«

Trotzdem machte sie sich wohl Sorgen um ihren Michel. Mütter tun das, wenn sich andere Menschen über ihre Kinder beklagen.

Und am Abend, als Michel mit seiner Müsse und seiner Büsse im Bett lag, setzte sie sich ein Weilchen zu ihm.

»Michel«, sagte sie, »bald bist du groß und kommst in die Schule. Wie soll das werden, wenn du so ein Lausejunge bist und so viel Unfug machst?«

Michel lag im Bett und sah aus wie ein kleiner Engel mit seinen runden blauen Augen und seinem hellen wolligen Haar.

»Halli hallo, halli dallido«, sagte er, denn das war so ein Gerede, das er am liebsten nicht hören wollte.

»Michel«, sagte seine Mama streng, »was glaubst du, wie es werden soll, wenn die Schule anfängt?«

»Gut.« Michel lachte. »Ich werde wohl aufhören, Unfug zu machen, denk ich mir – wenn ich zur Schule gehe.«

Michels Mama seufzte.

»Ja, wir wollen es hoffen«, sagte sie und ging zur Tür.

Da hob Michel seinen Kopf über die Bettkante und lächelte wie ein kleiner Engel und sagte:

»Trotzdem, ganz sicher ist es nicht!«

Michel muss
mehr Männchen machen

H ast du schon mal was von Michel aus Lönneberga gehört, der auf dem Hof Katthult in der Gemeinde Lönneberga in Småland lebte? Etwa nicht? In Lönneberga jedenfalls – das versichere ich dir – gab es nicht einen einzigen Menschen, der den schrecklichen kleinen Jungen der Katthulter nicht kannte, diesen Michel, der mehr Unfug machte, als das Jahr Tage hat, und der den Lönnebergern solche Schrecken einjagte, dass sie Michel nach Amerika schicken wollten. Ja, ja, tatsächlich, die Lönneberger sammelten Geld in einem Beutel und gingen damit zu Michels Mama und sagten: »Vielleicht reicht das, damit ihr Michel nach Amerika schicken könnt.«

Sie glaubten, es würde in Lönneberga viel ruhiger werden, wenn Michel nicht mehr da wäre, und damit hatten sie natürlich recht. Aber Michels Mama wurde furchtbar wütend und schleuderte das Geld aus dem Fenster, sodass es über ganz Lönneberga flog.

»Michel ist ein netter kleiner Junge«, sagte sie. »Wir haben ihn lieb, so wie er ist!«

Und Lina, die Magd auf Katthult war, sagte: »Wir müssen ja auch ein bisschen an die Amerikaner denken. Die haben uns

doch nichts Böses getan. Weshalb also sollten wir ihnen Michel auf den Hals hetzen?«

Da sah Michels Mama Lina lange und streng an, sodass Lina merkte, sie hatte etwas Dummes gesagt. Sie fing an zu stottern und wollte es wiedergutmachen.

»Ja, aber Frau«, sagte sie, »in der ›Vimmerby-Post‹ steht doch von dem schrecklichen Erdbeben da drüben in Amerika ... Ich meine ... das wär doch zu viel, wenn nun auch noch der Michel ...«

»Still, Lina«, sagte Michels Mama. »Geh in den Stall melken, das ist das Einzige, wovon du was verstehst.«

Da nahm Lina die Milcheimer und lief in den Stall. Und sie setzte sich hin und melkte, dass es nur so spritzte. Sie arbeitete immer am besten, wenn sie ein bisschen wütend war.

Deshalb melkte sie jetzt auch mit mehr Schwung als sonst und murmelte dabei dumpf vor sich hin:

»Ein bisschen Gerechtigkeit muss es ja wohl geben! Alle Plagen sollen die Amerikaner doch auch nicht haben. Aber ich würde gern mit denen tauschen, und ich glaub, ich glaub, ich werd denen schreiben: Hier habt ihr Michel, schickt mir dieses Erdbeben her.«

Damit nahm Lina den Mund ein bisschen zu voll. Sie wäre gerade die Rechte gewesen, nach Amerika zu schreiben, sie, die nicht einmal so schreiben konnte, dass man es zu Hause in Småland lesen konnte.

Nein, wenn jemand nach Amerika schreiben sollte, dann hätte es nur Michels Mama sein müssen. Die war tüchtig im Schreiben. Sie schrieb allen Unfug, den Michel machte, in ein blaues Schreibheft, das sie in einer Kommodenschublade aufbewahrte.

»Wozu soll das gut sein?«, fragte Michels Papa. »Bei all dem Unfug, den der Bengel anstellt! Du nutzt nur unseren Bleistift ab. Hast du daran gedacht?«

Michels Mama kümmerte sich nicht darum. Getreulich schrieb sie allen Unfug auf. Michel sollte eines Tages, wenn er groß war, erfahren, was er gemacht hatte, als er klein war. Jawohl, denn dann würde er verstehen, warum seine Mutter graue Haare bekommen hatte, und würde sie vielleicht lieben, trotz all ihrer grauen Haare, die sie seinetwegen bekommen hatte.

Nun darfst du nicht glauben, dass Michel ungezogen war. Oh nein, seine Mama hatte ganz recht, wenn sie sagte, er sei ein netter kleiner Junge, und wie ein Engel sehe er aus mit sei-

nen frommen blauen Augen und dem hellen wolligen Haar. Sicher war Michel artig, und seine Mama war gerecht, sie schrieb auch das gewissenhaft in das blaue Schreibheft.

»Gestern war Michel artig«, schrieb sie am 27. Juli in ihr Heft. »Den ganzen Tag hat er keinen Unfug gemacht. Vielleicht lag es daran, dass er hohes Fieber hatte und einfach keine Kraft hatte.«

Aber bereits am 28. Juli war Michels Fieber so weit gefallen, dass seine Streiche mehrere Seiten im Schreibheft füllten. Denn er war stark wie ein kleiner Ochse, der Junge, und wenn er nur gesund war, schaffte er jede Menge Unfug.

»So einen Bengel wie den hab ich noch nie gesehn«, sagte Lina.

Vielleicht hast du schon gemerkt, dass Lina nicht ganz einverstanden war mit Michel. Sie mochte Ida lieber, Michels kleine Schwester, die ein braves und folgsames Kind war. Aber Alfred, der Knecht auf Katthult, der mochte Michel – warum, weiß keiner. Und Michel mochte Alfred. Sie hatten ihren Spaß zusammen, wenn Alfred mit seiner Arbeit fertig war. Von ihm lernte Michel alles mögliche Nützliche, wie man ein Pferd anschirrt und wie man Hechte in Schlingen fängt und wie man Tabak kaut. Ja, dieses Letzte war sicher nicht besonders nützlich, und Michel versuchte es auch nur ein einziges Mal, aber er versuchte es, denn er wollte alles können, was Alfred konnte, und alles machen, was Alfred machte.

Alfred hatte ihm ein Gewehr aus Holz geschnitzt – nett von ihm, nicht? Diese Holzbüchse war Michels kostbarster Schatz. Sein zweitkostbarster Schatz war eine kleine, hässliche Schirmmütze, die ihm sein Papa einmal gekauft hatte, als er in der Stadt war und nicht genau wusste, was er tat.

»Ich mag meine Büsse und meine Müsse«, sagte Michel immer im reinsten Småländisch. Nicht einen einzigen Abend ging er schlafen, ohne die Büchse und die Mütze mit ins Bett zu nehmen.

Erinnerst du dich noch, wer alles auf Katthult wohnte? Es waren Michels Papa, der Anton hieß, Michels Mama, die Alma hieß, Michels Schwester, die Ida hieß, der Knecht, der Alfred hieß, die Magd, die Lina hieß, und dann Michel, der Michel hieß.

Und natürlich Krösa-Maja dürfen wir nicht vergessen. Sie war ein altes, mageres Kätnerweiblein, die in einer Kate oben im Wald lebte. Sie kam dann und wann nach Katthult, um bei der großen Wäsche und beim Wurststopfen und so was zu helfen und um Michel und die kleine Ida mit ihren unheimlichen Geschichten zu erschrecken, Geschichten von Geistern und Gespenstern, Mördern und Einbrechern und derartigen unterhaltsamen Dingen, über die Krösa-Maja Bescheid wusste.

Aber jetzt willst du wahrscheinlich etwas von Michels Unfug hören? Den machte er ja alle Tage – außer wenn er Fieber hatte. Wir können also ruhig irgendeinen Tag aus dem großen Haufen seines Unfugs herauspicken und sehen, was er da anstellte. Ja, warum übrigens nicht gerade diesen 28. Juli? Es war

Samstag, der 28. Juli,

als Michel Blutklößeteig über seinen Vater ausgoss und sein hundertstes Holzmännchen schnitzte

I n der Katthult-Küche stand eine blau angemalte, aufklapp-
bare Küchenbank, und darin schlief Lina. Zu der Zeit, als
all dies geschah, war ganz Småland voller solcher Schlafbänke
mit Mägden darin, die dort auf ausgebeulten Matratzen schliefen, von Fliegen umsummt, warum sollte es auf Katthult also
anders sein? Lina schlief gut in ihrer Küchenbank, und vor halb
fünf Uhr am Morgen, wenn der Wecker schrillte und sie aufstehen und melken musste, konnte nichts sie lebendig machen.

Sobald Lina hinausgegangen war, kam Michels Papa in
die Küche geschlichen, um dort in Ruhe und Frieden seinen
Morgenkaffee zu trinken, bevor Michel aufwachte. Er fand es
herrlich, dort ganz allein an dem großen Klapptisch zu sitzen,
nirgendwo einen Michel zu sehen, nur von draußen das Ge-
zwitscher der Vögel und das Gegacker der Hühner zu hören,
den Kaffee zu schlürfen, ein wenig mit dem Stuhl zu wippen,
die sauberen Dielenbretter unter den Füßen zu spüren, die
Lina so geschrubbt hatte, dass sie schneeweiß waren. Nein, es
waren die *Dielenbretter*, die sie geschrubbt hatte, das verstehst
du ja wohl, und nicht die Füße von Michels Papa, wenn die es
vielleicht auch ebenso nötig gehabt hätten – wer weiß. Mor-

93

gens lief Michels Papa immer barfuß herum, aber nicht nur, weil er es schön fand.

»Auch am Schuhwerk kann man ein bisschen sparen«, sagte er zu Michels Mama, die widerspenstig war und auf keinen Fall barfuß gehen wollte. »So wie du deine Schuhe abnutzt, müssen wir ja wirklich, aber wirklich, alle zehn Jahre neue für dich kaufen.«

»Ja, genau das«, antwortete Michels Mama, und dann wurde nicht mehr darüber gesprochen.

Vorhin habe ich schon erzählt, dass Lina nicht ohne den

schrillenden Wecker wach zu bekommen war; aber an einem Morgen wurde sie jedenfalls durch etwas anderes geweckt. Es war am 27. Juli, gerade an dem Tag, als Michel Fieber hatte. Kann man sich so was Schreckliches vorstellen – schon um vier Uhr morgens wachte Lina auf, weil ihr eine große Maus genau über das Gesicht lief. Sie fuhr mit einem Aufschrei hoch und kriegte ein Holzscheit zu fassen, aber die Maus war schon in einem Loch neben der Holzkiste verschwunden.

Michels Papa war außer sich, als er von der Maus hörte.

»Das ist ja eine schöne Geschichte«, sagte er. »Mäuse in der Küche! Die können uns das Brot und das Fleisch auffressen.«

»Und *mich*«, sagte Lina.

»Ja, und dann unser Fleisch und unser Brot«, sagte Michels Papa. »Wir müssen die Katze diese Nacht in der Küche lassen!«

Michel hörte das von der Maus, und obwohl er Fieber hatte, überlegte er sich gleich, wie er sie fangen könnte, falls es mit der Katze nicht so ganz klappen sollte.

Um zehn Uhr am Abend dieses 27. Juli war Michel absolut fieberfrei und voller Tatendrang. Um diese Zeit schliefen all die anderen auf Katthult, Michels Papa, Michels Mama und Klein-Ida in der Kammer neben der Küche, Lina in ihrem Küchenbett und Alfred in seiner Knechtshütte neben dem Tischlerschuppen.

Schweine und Hühner schliefen im Schweine- und im Hühnerstall, Kühe und Pferde und Schafe schliefen draußen auf den grünen Wiesen – aber in der Küche saß die Katze hellwach und hatte Sehnsucht nach der Scheune, denn dort gab es mehr Mäuse.

Hellwach war auch Michel. Und aus seinem Bett in der Kammer kam er leise in die Küche geschlichen.

»Armes Schnurrchen«, sagte er, als er die Katzenaugen hinten an der Küchentür leuchten sah, »hier sitzt du nun.«

»Miau«, antwortete Schnurrchen. Und tierfreundlich, wie er war, der kleine Michel, ließ er Schnurrchen hinaus.

Die Maus musste natürlich gefangen werden, das war Michel klar, und weil die Katze jetzt nicht mehr da war, musste es auf irgendeine andere Weise geschehen. Deshalb nahm Michel eine Mausefalle und stellte sie mit einem kleinen Stück Speck neben der Holzkiste auf. Dann aber dachte er nach. Wenn die Maus die Falle sah, sobald sie ihre Nase aus dem Loch steckte, würde sie misstrauisch werden und sich überhaupt nicht mehr fangen lassen. Es wäre besser, dachte Michel, wenn die Maus erst einmal in aller Ruhe in der Küche herumstrolchen könnte und dann ganz plötzlich die Falle dort finden würde, wo sie sie am wenigsten vermutete. Michel dachte auch kurz daran, die Falle auf Linas Gesicht zu stellen, weil die Maus gerade dort gern herumlief. Aber er fürchtete, Lina könnte aufwachen und alles verpatzen. Nein, es musste woanders sein. Warum eigentlich nicht unter dem großen Klapptisch? Gerade dorthin müsste doch eine Maus laufen, um nach heruntergefallenen Brotkrumen zu suchen. Natürlich nicht gerade unter dem Platz von Michels Papa, da war es nur mager mit Brotkrümeln bestellt.

»Wie schrecklich«, sagte Michel und blieb mitten in der Küche stehen. »Wenn die Maus nun mal ausgerechnet dorthin kommt und findet keine Brotkrümel und knabbert stattdessen an Papas großem Zeh!«

Das durfte nicht geschehen, dafür würde Michel sorgen.

Und deshalb stellte er die Mausefalle dorthin, wo sein Papa immer die Füße hinsetzte. Dann kroch er, sehr zufrieden mit sich, wieder ins Bett.

Erst am hellen Morgen wachte er auf, und es war lautes Geschrei aus der Küche, das ihn geweckt hatte.

Die freuen sich, dass die Maus gefangen ist, deshalb schreien sie so, dachte Michel, aber in dem Augenblick kam seine Mama hereingestürzt. Sie zerrte ihn aus dem Bett und zischte ihm ins Ohr:

»Schnell raus mit dir in den Tischlerschuppen, bevor Papa seinen großen Zeh aus der Mausefalle rausbekommt! Schnell – sonst, glaub ich, hat deine letzte Stunde geschlagen.«

Sie ergriff Michels Hand und rannte los mit ihm, so wie er war, im Hemd, denn zum Anziehen war keine Zeit.

»Aber meine Büsse und meine Müsse müssen jedenfalls mit!«, schrie Michel. Er packte die Mütze und die Büchse und rannte, dass sein Hemd nur so flatterte, geradewegs zum Tischlerschuppen.

Dort musste er immer sitzen, wenn er Unfug gemacht hatte. Michels Mama schob außen den Riegel vor die Tür, damit Michel nicht herauskommen konnte, und Michel schob innen den Riegel vor, damit sein Papa nicht hereinkommen konnte – klug und vorsorglich waren sie beide.

Michels Mama fand, es wäre das Beste, wenn Michel seinem Papa ein paar Stunden lang nicht begegnen würde. Das fand Michel auch, deshalb schob er ja den Riegel sorgfältig zu, bevor er sich in aller Ruhe auf den Hauklotz setzte und ein lustiges Holzmännchen schnitzte. Das machte er immer, wenn er nach einem Streich im Tischlerschuppen eingesperrt wurde,

und er hatte schon siebenundneunzig Männchen zusammen-
gekriegt. Sie standen sauber aufgereiht auf einem Regal, und
Michel freute sich, als er sie sah und wenn er daran dachte,
dass er bald hundert haben würde. Das sollte ein richtiges
Jubiläum werden!

»An dem Tag werde ich ein Fest im Tischlerschuppen geben,
aber ich will nur Alfred einladen«, nahm er sich vor, als er da
auf dem Hauklotz saß mit dem Schnitzmesser in der Faust. Von
Weitem hörte er das Gebrüll seines Vaters, es wurde aber langsam leiser. Stattdessen kamen plötzlich andere, viel gellendere
Schreie, und Michel fragte sich, was wohl mit seiner Mama
los sei. Aber dann fiel ihm ein, dass heute die große Sau geschlachtet werden sollte. Sie war es, die so quiekte. Arme Sau,
für sie ist der 28. Juli auch kein erfreulicher Tag! Nun ja, es gab
mehrere, die es an diesem Tag nicht so gut hatten.

Um die Mittagszeit wurde Michel rausgelassen. Als er in
die Küche kam, lief ihm Ida freudestrahlend entgegen.

»Heute gibt es Blutklöße zu Mittag«, sagte sie.

Du weißt vielleicht nicht, was Blutklöße sind? Das sind
große schwarze Klöße mit fettem Schweinefleisch innen drin.

Und wenn nun Schweineschlachten in Katthult war, dann war es klar, dass Michels Mama Blutklöße kochen würde. Sie hatte den Teig dafür in einer großen Steingutschüssel angerührt, und auf dem Herd kochte schon das Wasser in einem gewaltigen eisernen Topf. Bald würde es Blutklöße geben, dass es eine Freude war.

»Ich werde achtzehn Stück essen«, prahlte Ida. Dabei war sie dünn wie ein Holzspan und kriegte, wenn es hoch kam, einen halben Blutkloß runter.

»Das erlaubt dir Papa gar nicht«, sagte Michel. »Wo ist er übrigens?«

»Er liegt draußen und ruht sich aus«, sagte Ida.

Michel guckte aus dem Küchenfenster. Und richtig, unten im Gras lag sein Papa, den großen Strohhut über dem Gesicht, und machte seine Mittagspause, wie gewöhnlich. Normalerweise machte er sie natürlich nicht vor dem Mittagessen, sondern danach, aber heute war er wohl besonders müde – vielleicht wird man das, wenn man den Tag in einer Mausefalle beginnt.

Michel sah, dass sein Papa nur auf dem rechten Fuß einen Schuh trug. Zuerst hoffte Michel, es sei reine Sparsamkeit und sein Papa wollte nur einen Schuh zur Zeit abnutzen. Aber dann sah Michel den blutigen Lappen, den sein Papa um den linken großen Zeh hatte, und da begriff er: Seinem Papa tat der Zeh so weh, dass er keinen Schuh anziehen konnte.

Michel schämte sich und bereute seinen dummen Unfug mit der Mausefalle. Nun wollte er seinen Papa wieder froh machen, und weil er wusste, dass sein Papa Blutklöße über alles liebte, nahm er die Steingutschüssel und hielt sie aus dem Fenster.

»Guck mal«, schrie er jubelnd, »heute Mittag gibt's Blutklöße!« Sein Papa nahm den Strohhut vom Gesicht und sah mit düsterem Blick zu Michel hoch. Noch hatte er die Mausefalle nicht vergessen, das merkte man. Um alles wiedergutzumachen, strengte Michel sich noch mehr an.

»Guck mal, Papa, so viel Teig!«, jauchzte er und hielt die Schüssel noch weiter hinaus. Aber – kann man sich so was Schreckliches vorstellen? – er konnte sie nicht mehr halten, und die Steingutschüssel mit ihrem blutigen Inhalt fiel genau auf Michels Papa hinunter, wie er da lag, die Nase in der Luft.

»Blupp«, sagte Michels Papa, denn mehr kann man nicht sagen, wenn man in Blutklößeteig eingemauert ist. Aber er erhob sich mühsam aus dem Gras, und schließlich brachte er ein Gebrüll hervor, zuerst gedämpft vom Blutklößeteig, aber dann so, dass es über ganz Lönneberga zu hören war. Die Steingutschüssel saß wie ein Wikingerhelm auf seinem Kopf, und der Teig rann an ihm herunter. Gerade da kam Krösa-Maja aus dem Waschhaus, wo sie Schweinedärme gespült hatte, und als sie Michels Papa erblickte, der aussah wie in Blut gebadet, quiekte sie schlimmer als die Sau und rannte mit der furchtbaren Neuigkeit davon.

»Jetzt ist es aus mit dem Katthult-Vater«, schrie sie. »Michel, dieses Unglück, hat ihn geschlagen, dass das Blut strömt. Ach, ach, ach – wie fürchterlich!«

Als Michels Mama sah, was geschehen war, nahm sie Michel wieder bei der Hand und rannte im Eiltempo zum Tischlerschuppen mit ihm. Und während Michel, immer noch im Hemd, dort saß und sein neunundneunzigstes Holzmännchen schnitzte, hatte seine Mama alle Hände voll zu tun, seinen Papa wieder sauber zu machen.

»Du könntest es wohl so abkratzen, dass es wenigstens noch drei oder vier Klöße werden«, sagte Michels Papa. Aber Michels Mama schüttelte den Kopf.

»Was vergeudet ist, das ist vergeudet. Jetzt gibt es eben Kartoffelpuffer.«

»Hihi, heute kriegen wir vor dem Abendbrot kein Mittagessen«, sagte Klein-Ida. Aber dann schwieg sie, denn sie sah die Augen von ihrem Papa in dem Blutklößeteig, und die blickten finster.

Michels Mama ließ Lina Kartoffeln für die Puffer reiben. Du weißt vielleicht nicht, was Kartoffelpuffer sind? Das ist eine Art Pfannkuchen aus geriebenen Kartoffeln, und sie schmecken viel besser, als es klingt, das kann ich dir versichern.

Lina hatte bald einen dicken, prächtigen, braungelben Teig in der Steingutschüssel, die sich Michels Papa vom Kopf genommen hatte. Er wollte ja nicht den ganzen Tag wie ein Wikinger herumlaufen. Sobald er einigermaßen gesäubert worden war, ging er hinaus aufs Feld, um mit der Roggenernte zu beginnen, während er darauf wartete, dass die Kartoffelpuffer fertig wurden. Und da ließ Michels Mama Michel aus dem Tischlerschuppen.

Michel hatte lange still gesessen. Nun spürte er, dass er sich bewegen musste.

»Wir spielen Kickse-kickse-hu«, sagte er zur kleinen Ida, und Ida lief sofort los. Kickse-kickse-hu war nämlich ein Laufspiel, das Michel sich ausgedacht hatte. So spielte man es: Man lief, als ginge es ums nackte Leben, aus der Küche in den Flur und vom Flur in die Kammer, von der Kammer in die Küche und wieder von der Küche in den Flur, rundherum, rundherum, dass es nur so pfiff. Aber Michel und Ida liefen jeder in eine andere Richtung, und immer, wenn sie sich begegneten, stachen sie einander den Zeigefinger in den Bauch und schrien: »Kickse-kickse-hu!« Daher hatte das Spiel seinen Namen. Es war ein durch und durch lustiges Spiel, fanden beide, Michel und Ida.

Aber als Michel auf seiner achtundachtzigsten Runde in die Küche gerannt kam, traf er Lina. Sie hatte die Steingutschüssel in den Händen und war auf dem Weg zum Herd, um endlich die Kartoffelpuffer zu backen. Weil Michel ihr auch etwas Spaß gönnte, bohrte er ihr den Zeigefinger in den Bauch und rief: »Kickse-kickse-hu!« Das hätte er nicht tun sollen. Er wusste doch, wie kitzlig Lina war.

»Jiiiih!«, machte Lina und krümmte sich wie ein Wurm. Und – kann man sich so etwas Schreckliches vorstellen? – die Schüssel flog ihr aus den Händen. Niemand weiß richtig, wie

es geschah. Aber so viel steht jedenfalls fest, dass Michels Papa, der gerade, wild vor Hunger, zur Tür hereinkam, den ganzen Kartoffelpufferteig mitten ins Gesicht kriegte.

»Blupp«, sagte Michels Papa wieder, denn mehr kann man nicht sagen, wenn man das Gesicht voll Kartoffelpufferteig hat. Michel und Ida machten später daraus so etwas wie eine Redensart.

»›Blupp‹, sagte Papa im Kartoffelpufferteig«, pflegten sie mit einem Kichern zu sagen oder auch: »›Blupp‹, sagte Vater im Blutklößeteig« – eins von beiden passte immer.

Jetzt aber hatte Michel keine Zeit zum Kichern, denn seine Mama nahm ihn wieder bei der Hand und rannte im Eiltempo zum Tischlerschuppen mit ihm. Hinter sich hörte Michel das Gebrüll von seinem Papa, zuerst noch vom Kartoffelpufferteig gedämpft, aber dann so, dass es über ganz Lönneberga zu hören war.

Als Michel auf dem Hauklotz saß und an seinem hundertsten Holzmännchen schnitzte, war er überhaupt nicht in Jubiläumsstimmung. Im Gegenteil, er war so wütend wie eine wild gewordene Ameise. Es war zu viel, dreimal am selben Tag im Tischlerschuppen sitzen zu müssen, fand er – und ungerecht war es außerdem.

»Kann ich was dafür, dass Vater überall im Weg ist«, fauchte er. »Man kann auf diesem Hof ja nicht mal so viel wie eine Mausefalle aufstellen – schon kommt er und steckt seinen Zeh hinein. Und warum muss er seinen Kopf immer da haben, wo der Teig für Blutklöße und für Kartoffelpuffer am schlimmsten herumwirbelt!«

Nun möchte ich aber auf keinen Fall, dass du denkst, dass Michel seinen Papa nicht mochte und dass Michels Papa Michel nicht mochte. Normalerweise mochten sie sich, aber auch Leute, die das tun, können schon manchmal in Streit geraten, wenn es mit Mausefallen oder Blutklößeteig und Kartoffelpufferteig schiefgeht.

Dieser Samstag, der 28. Juli, ging seinem Ende zu. Michel saß im Tischlerschuppen und wurde immer wütender. So hatte er sich sein Hundert-Männer-Jubiläum nicht vorgestellt. Erstens war es ein Samstagabend, und wie sollte er da Alfred zu seinem Fest im Tischlerschuppen einladen? Samstagabends hatte Alfred was anderes zu tun. Da saß er auf der Treppe der Knechtshütte und tat schön mit Lina und spielte ihr was auf seiner Ziehharmonika vor. Nein, Alfred hatte wahrhaftig keine Zeit für Festlichkeiten.

Michel schleuderte das Schnitzmesser weg. Nicht einmal Alfred hatte er, ganz allein war er, und er wurde immer wüten-

der, als er daran dachte, wie sich die Leute ihm gegenüber be-
nahmen. War das etwa eine Art, ihn hier den ganzen langen
Samstag im Hemd herumsitzen zu lassen – nicht einmal Zeit,
Kleider anzuziehen, hatte man bei diesem ewigen Gerenne
zum Tischlerschuppen. Aber im Tischlerschuppen wollten
sie ihn ja wohl haben, diese Menschen von Katthult, und dann
sollten sie es auch so haben!

Michel schlug mit der Faust auf die Hobelbank, dass es
krachte. Gut, *dann sollten sie es auch so haben!* Und in diesem
Augenblick fasste Michel einen schrecklichen Entschluss: Den
Rest seines Lebens würde er in diesem Tischlerschuppen zu-
bringen. Nur im dünnen Hemd, mit der Müsse auf dem Kopf,
einsam, verlassen von allen, würde er, solange er auf dieser
Erde lebte, hierbleiben.

Dann werden sie wohl endlich zufrieden sein, und dieses
überflüssige Getrabe hin und her ist dann auch nicht mehr

nötig, dachte er. Aber versucht nicht, in meinen Tischler-schuppen hineinzukommen – daraus wird nichts! Wenn Papa Bretter hobeln will, soll er das lieber bleiben lassen, und das ist übrigens auch besser, denn sonst hobelt er sich ja doch nur die Daumen ab. Ich kenne keinen Menschen, dem so viel passiert wie ihm.

Aber als der Juliabend dämmerte, kam Michels Mama zum Tischlerschuppen und schob den Riegel zurück – den auf der Außenseite natürlich. Sie zog an der Tür und merkte, dass sie auch von innen verriegelt war. Da lächelte sie milde und sagte: »Du brauchst keine Angst mehr zu haben, kleiner Michel. Papa hat sich hingelegt. Du kannst jetzt herauskommen.«

Aber da kam aus dem Tischlerschuppen ein schreckliches »Ha!«.

»Warum sagst du ›Ha‹?«, fragte seine Mama. »Mach die Tür auf und komm raus, kleiner Michel!«

»Ich komm nie mehr raus«, sagte Michel mit dumpfer Stim-me. »Und versuch nicht, reinzukommen, denn dann schieß ich!«

Michels Mama sah ihren kleinen Jungen drinnen am Fenster stehen, die Büsse in der Hand. Zuerst wollte sie nicht glauben, dass er es ernst meinte, aber als sie schließlich begriff, dass es doch so war, rannte sie weinend ins Haus und weckte Michels Papa.

»Michel sitzt im Tischlerschuppen und will nicht rauskom-men«, sagte sie. »Was sollen wir nur machen?«

Klein-Ida wachte auf und fing sofort an zu heulen. Und alle rannten sie zum Tischlerschuppen: Michels Papa, Michels Mama und Klein-Ida. Und Alfred und Lina, die auf der Treppe

zur Knechtshütte saßen und schöntaten, mussten damit aufhören – sehr zu Linas Verdruss. Jetzt mussten eben alle helfen,
Michel herauszubekommen.

Michels Papa war zuerst ganz munter.

»Na, na! Du wirst schon rauskommen, wenn du Hunger
hast!«, rief er.

»Ha«, sagte Michel wieder.

Sein Papa wusste nicht, was Michel hinter der Hobelbank
in einer Dose hatte. Einen prächtigen kleinen Vorrat an Essen,
tatsächlich. Pfiffig, wie er war, hatte er schon dafür gesorgt,
dass er im Tischlerschuppen nicht hungers sterben konnte. Er
wusste ja nie, an welchem Tag und zu welcher Stunde er hier
landen würde, und deshalb hatte er immer etwas Essbares in
seiner Dose. Gerade jetzt lagen darin Brot und Käse und einige Stücke kaltes Fleisch, außerdem getrocknete Kirschen und
viel Zwieback. Krieger hatten ihre belagerten Festungen schon
mit weniger Nahrung gehalten. Für Michel war der Tischlerschuppen jetzt eine belagerte Festung, und er gedachte sie gegen alle seine Feinde zu verteidigen.

Mutig wie ein Feldherr stand er an der Fensterluke und
zielte mit seiner Büsse.

»Den Ersten, der näher kommt, erschieße ich!«, schrie er.

»Oh Michel, mein lieber kleiner Junge, sprich nicht so, komm raus«, bat Michels Mama. Aber das half nichts. Michel war hart wie Stein. Es half nicht einmal, dass Alfred sagte:

»Hör mal, Michel, komm raus, dann gehen wir zum See und baden, du und ich!«

»Nein«, schrie Michel bitter, »sitz du nur mit Lina auf deiner Treppe – von mir aus! Ich, ich bleib hier!«

Und dabei blieb es. Michel blieb, wo er war. Und als alles nichts half, kein Drohen und kein Flehen, da mussten sie schließlich ins Bett gehen: Michels Papa, Michels Mama und die kleine Ida.

Das war ein trauriger Samstagabend. Michels Mama und Klein-Ida weinten, dass die Tränen spritzten. Und Michels Papa seufzte tief auf, als er ins Bett kroch, denn ihm fehlte ja sein kleiner Junge, der sonst immer dort hinten in seinem kleinen Bett lag, das wollige Haar auf dem Kissen, die Büsse und die Müsse neben sich.

Nur Lina vermisste Michel nicht, und sie wollte sich auch nicht hinlegen. Sie wollte mit Alfred auf der Treppe zur

Knechtshütte sitzen, und sie wollte dort in Ruhe sitzen. Deshalb war sie sehr zufrieden, Michel im Tischlerschuppen zu wissen.

»Aber wer weiß, wie lange dieser verflixte Bengel wirklich drinbleibt«, brummte sie vor sich hin, und dann ging sie in aller Stille zum Tischlerschuppen und schob den Riegel auf der Außenseite der Tür wieder vor.

Alfred spielte auf der Ziehharmonika und sang und bemerkte Linas Missetat nicht. »Die Husaren reiten vom Schlachtfeld heim …«, sang Alfred. Michel hörte es. Er saß auf dem Hauklotz und seufzte tief.

Aber Lina legte die Arme um Alfreds Hals und quengelte, wie sie es immer tat, und Alfred antwortete, wie er immer antwortete: »Klar kann ich dich heiraten, wenn du unbedingt willst, aber es eilt doch nicht.«

»Im nächsten Jahr aber bestimmt«, sagte Lina unerbittlich, und Alfred seufzte noch tiefer als Michel und sang das Lied von der Löwenbraut. Michel hörte es auch, und er dachte, wie lustig es doch wäre, mit Alfred zum See zu gehen.

»Warum eigentlich nicht?«, sagte er zu sich selbst. »Ich könnte doch wirklich auf einen Sprung mit Alfred baden gehen. Und danach kann ich ja wieder in meine Tischlerbude kriechen – wenn ich das also will.«

Michel stürzte zur Tür und schob den Riegel zurück. Aber was half das, da doch die listige Lina den Riegel an der Außenseite vorgeschoben hatte? Die Tür ging nicht auf, obwohl Michel sich mit aller Kraft dagegenwarf. Da begriff er. Er wusste sofort, wer ihn eingesperrt hatte.

»Aber der werd ich's zeigen«, sagte er. »Die wird schon sehen.«

Er guckte sich im Schuppen um, in dem es nun ziemlich dunkel wurde. Einmal, als Michel seinen schlimmsten Unfug getrieben hatte, war er durchs Fenster ausgerissen. Aber danach hatte sein Papa von außen kreuz und quer Latten über das Fenster genagelt, nur damit Michel es nicht noch einmal tat und in die Brennnesseln fallen konnte, die unter dem Fenster wuchsen. Michels Papa war wirklich besorgt um seinen kleinen Jungen und wollte nicht, dass er sich an den Brennnesseln verbrannte.

»Durchs Fenster komme ich nicht raus«, sagte Michel, »und durch die Tür auch nicht. Um Hilfe schreien will ich ums Leben nicht. Wie komme ich also raus?«

Nachdenklich sah er zum offenen Kamin. Den gab es im Tischlerschuppen, damit es dort im Winter warm war und damit Michels Papa ein Feuer hatte, auf dem er, wenn es nötig war, den Kessel mit Leim aufwärmen konnte.

»Es geht nur durch den Schornstein«, sagte Michel und kletterte rasch über die Kaminumrandung mitten hinein in die

Asche, die noch von den Feuern des letzten Winters liegen geblieben war und die sich nun weich um seine nackten Füße schmiegte und zwischen seine Zehen drang.

Michel guckte hinauf in den Schornstein, und da entdeckte er etwas Lustiges. In dem Loch, genau über ihm, saß ein roter Julimond und guckte auf ihn herab.

»Hallo, Mond«, rief Michel, »jetzt sollst du mal einen sehen, der klettern kann!«

Und er stemmte sich gegen die rußigen Schornsteinwände und schob sich nach oben.

Wenn du jemals versucht hast, durch einen engen Schornstein zu klettern, dann weißt du, wie schwer das ist und wie schwarz man dabei wird. Aber glaub nur nicht, dass Michel das aufhalten konnte.

Lina, die Ärmste, saß neben Alfred auf der Treppe, die Arme um seinen Hals geschlungen, und ahnte nichts. Aber Michel hatte ja gesagt, dass sie schon sehen sollte, und sie sah auch.

Plötzlich schaute sie auf, um den Mond anzusehen, und da stieß sie einen Schrei aus, der in ganz Lönneberga zu hören war.

»Ein Gespenst!«, schrie Lina. »Auf dem Schornstein sitzt ein Gespenst!«

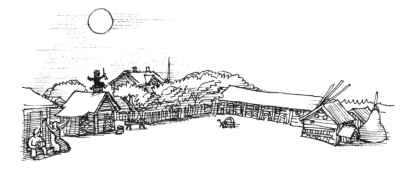

Vor Gespenstern hatten die Menschen in Småland früher große Angst. Lina hatte auch Krösa-Majas schaurige Geschichten über all die Gespenster gehört, denen man begegnen konnte, und deshalb schrie sie so wild, als sie nun dort oben auf dem Schornstein eins sitzen sah, ganz schwarz im Gesicht und von oben bis unten zum Grausen.

Alfred sah sich das Gespenst auch an, aber er lachte nur.

»Das kleine Gespenst erkenne ich«, sagte er. »Komm runter, Michel!«

Michel richtete sich in seinem rußigen Hemd auf und stand nun auf dem Dach, kühn wie ein Heerführer. Er hob seine schwarze Faust zum Himmel empor und schrie, dass es über ganz Lönneberga zu hören war:

»Heute Abend wird der Tischlerschuppen abgerissen, und ich werde niemals mehr darin sitzen!«

Alfred ging zum Tischlerschuppen und breitete die Arme aus.

»Spring, Michel«, sagte er.

Und Michel sprang. Direkt in die Arme von Alfred. Dann gingen sie beide zum See hinunter und badeten. Michel hatte es nötig.

»So einen Bengel wie den hab ich noch nie gesehen!«, sagte Lina und ging wutschnaubend hinein und legte sich ins Bett.

Aber im Katthult-See, zwischen weißen Seerosen, schwammen Michel und Alfred in dem kühlen Wasser herum, und am Himmel hing der Julimond wie eine rote Laterne und leuchtete ihnen.

»Du und ich, Alfred«, sagte Michel.

»Ja, du und ich, Michel«, sagte Alfred. »So soll's sein!«

Quer über dem See lag eine breite, blanke Straße aus Mondlicht, aber rings ums Ufer stand die schwarze Finsternis. Denn jetzt war es Nacht, und jetzt war der 28. Juli zu Ende.

Doch es kamen neue Tage mit neuem Unfug. Michels Mama schrieb in das blaue Schreibheft, bis sie einen Schreibkrampf bekam. Schließlich war das Heft von vorne bis hinten vollgeschrieben.

»Ich muss ein neues Heft haben«, sagte Michels Mama. »Aber bald ist ja in Vimmerby Jahrmarkt, und wenn ich schon einmal in der Stadt bin, will ich dran denken und ein Heft kaufen.«

Das tat sie auch, und das war ja ein Glück. Denn wo hätte sie sonst all den Unfug aufschreiben sollen, den Michel gerade am Markttag anstellte?

»Möge Gott dem Jungen helfen«, schrieb sie, »dann wird er es weit bringen, wenn er am Leben bleibt, bis er groß ist, auch wenn sein Vater es nicht glaubt.«

Aber da irrte sich Michels Papa, und Michels Mama behielt recht. Michel brachte es weit in seinem Leben und wurde Gemeinderatspräsident und der beste Mann in ganz Lönneberga.

Jetzt aber halten wir uns an das, was auf dem Jahrmarkt in Vimmerby geschah, damals, als er noch klein war. Es war

Mittwoch, der 31. Oktober,

als Michel sich ein eigenes Pferd anschaffte und Frau Petrell und ganz Vimmerby beinahe um den Verstand gebracht hätte

An jedem letzten Mittwoch im Oktober war Jahrmarkt in Vimmerby, und da war etwas los in dieser Stadt, vom frühen Morgen bis zum späten Abend, das kann ich versichern. Alle Menschen aus Lönneberga und den anderen Gemeinden fuhren dorthin, um Ochsen und Kühe zu verkaufen oder zu kaufen, um Pferde zu tauschen und um Leute zu treffen und um sich einen Bräutigam zu besorgen und um Zuckerstangen zu lutschen und um Polka zu tanzen und um sich zu prügeln und um seinen Spaß zu haben – jeder auf seine Weise.

Einmal hatte Michels Mama Lina gefragt, ob sie die großen Feiertage des Jahres aufzählen könne, denn sie wollte wissen, wie schlau Lina war. »Ja, das dürften Weihnachten und Ostern sein und dann der Jahrmarkt in Vimmerby, glaube ich!«

Nun begreifst du, warum alle Menschen am 31. Oktober nach Vimmerby wollten, und schon um fünf Uhr in der Frühe, als es noch stockfinster war, spannte Alfred die Pferde Markus und Julla vor den großen Wagen, und dann ging es los mit ganz Katthult: Michels Papa und Michels Mama, Alfred und Lina, Michel und Klein-Ida. Nur Krösa-Maja sollte zu Hause bleiben und das Vieh versorgen.

»Arme Krösa-Maja, willst du nicht auch zum Jahrmarkt fahren?«, fragte Alfred, der eine freundliche Seele war.

»Ich bin doch nicht verrückt«, sagte Krösa-Maja. »Heute, wo der große Komet kommt! Oh nein, danke! Ich will in Lönneberga sterben, wo ich gelebt habe.«

Es war nämlich so: Die Leute in Småland warteten auf einen großen Kometen, der kommen sollte, und jetzt hatte in der »Vimmerby-Post« gestanden, dass der Komet genau am 31. Oktober in rasender Fahrt kommen und vielleicht die Erdkugel rammen würde, sodass sie in tausend Stücke zerspringen musste.

Du weißt wohl nicht, was ein Komet ist, und ich weiß es auch kaum, aber ich glaube, das ist ein Stück von einem Stern, das sich gelöst hat und heruntergefallen ist und das ein bisschen hierhin und dahin im Weltraum herumsaust. Alle Småländer hatten eine Riesenangst vor dem Kometen, der so plötzlich die ganze Erde in Stücke schlagen und Schluss machen würde mit allem, was schön war.

»Klar, dass dieses Ekel von einem Kometen sich gerade
die Zeit aussuchen muss, wenn Jahrmarkt in Vimmerby ist«,
sagte Lina wütend. »Aber egal, vielleicht kommt er erst gegen
Abend, sodass man das meiste doch noch mitmachen kann.«

Sie lächelte pfiffig und gab Alfred, der neben ihr auf dem
hinteren Sitz saß, mit dem Ellenbogen einen Stoß. Lina erwartete sich viel von diesem Tag.

Vorn saß Michels Mama mit der kleinen Ida auf dem Schoß
und Michels Papa mit Michel auf dem Schoß. Rate mal, wer
kutschierte! Natürlich Michel. Ich habe vergessen zu erzählen,

was für ein tüchtiger Kutscher Michel war. Von klein auf hatte ihm Alfred alles beigebracht, was man über Pferde wissen
muss, und schließlich wusste Michel mehr als irgendjemand in
ganz Lönneberga und konnte mit Pferden besser umgehen als
Alfred. Jetzt saß er bei seinem Papa auf dem Schoß und fuhr
wie der tollste Kutscher – ja, der Bengel wusste, wie man die
Zügel halten musste!

In der Nacht hatte es geregnet, Dunkelheit und Nebel lagen
wie eine Decke über Lönneberga und ganz Småland an diesem
trüben Oktobermorgen. Noch war kein Licht über den Baum-
spitzen zu sehen, und der Wald stand an beiden Seiten des
Weges schwarz und regenschwer, als die Katthulter in ihrem
Wagen dort entlangfuhren. Aber sie waren trotzdem alle fröh-

lich, und Markus und Julla trabten dahin, dass der Schlamm auf dem lehmigen Weg unter ihren Hufen aufspritzte.

Julla war sicherlich nicht so besonders froh. Sie war alt und kraftlos und wollte am liebsten zu Hause im Stall stehen. Michel hatte seinem Papa schon lange in den Ohren gelegen, er solle sich ein Jungpferd anschaffen, das besser mit Markus zusammen laufen konnte, und jetzt wäre doch die beste Gelegenheit, wo nun schon einmal Markt war, meinte Michel.

Aber Michels Papa sagte: »Du glaubst wohl, wir könnten uns alles und noch mehr leisten? Nein, nein, die alte Julla muss schon noch ein paar Jahre mitmachen, da hilft alles nichts.«

Und Julla machte mit, ganz gewiss. Tapfer trabte sie die Steigungen hinauf, und Michel, der Julla gernhatte, sang ihr etwas vor, wie er es machte, wenn er sie ein bisschen aufmuntern wollte:

»Mein' Mähre läuft nicht wie der Wind,
weil ihre Bein' so klapprig sind.
Was macht das?
Sie trägt mich doch in guter Hut
und traben tut sie auch noch gut –
auf geraden Wegen.«

Als die Katthulter nun nach Vimmerby gekommen waren und als Erstes einen guten Platz für Markus und Julla nicht weit von der Viehkoppel entfernt besorgt hatten, wollte jeder etwas anderes erledigen. Michels Mama, die kleine Ida an den Rockschößen, ging ein blaues Schreibheft kaufen. Außerdem wollte sie auf dem Markt Wolle und Eier verkaufen, die sie mitgebracht hatte. Lina wollte sofort mit Alfred in eine Konditorei gehen, um Kaffee zu trinken, und sie kriegte ihn wirklich mit, obwohl er anfangs zog und zerrte und loszukommen versuchte, weil er mit Michel und Michels Papa zur Viehkoppel gehen wollte.

Wenn du einmal an einem Jahrmarktstag in Vimmerby gewesen bist, dann weißt du, was das ist, eine Viehkoppel, nämlich der Platz, wo man Kühe und Pferde kauft und verkauft. Um diese Zeit war das lustige Treiben auf der Koppel bereits in vollem Gang. Dorthin wollte Michel sofort, und sein Vater hatte nichts dagegen, ihm zu folgen, wenn er auch nicht gerade daran dachte, etwas zu kaufen – er wollte nur gucken.

»Aber denk daran, dass wir um zwölf Uhr bei Frau Petrell zum Mittagessen eingeladen sind«, sagte Michels Mama, bevor sie mit der kleinen Ida verschwand.

»Du brauchst dir keine Sorgen zu machen, dass ich *eine solche* Sache vergesse«, sagte Michels Papa, und dann ging er mit Michel los.

Michel war noch keine fünf Minuten auf der Koppel, da sah er schon *das Pferd*! Das Pferd, das er haben wollte und das sein Herz hüpfen ließ, wie es nie zuvor gehüpft hatte. Was für ein Pferd! Es war ein kleiner prachtvoller brauner Dreijähriger. Angebunden am Zaun stand er da und schaute Michel so sanftmütig an, als hoffte er, Michel würde ihn kaufen. Das wollte Michel, oh, wie er das wollte! Er sah sich nach seinem Papa um: Jetzt würde er anfangen, so fürchterlich zu quengeln, dass sein Papa einfach *gezwungen* war, das Pferd zu kaufen, um dem Ganzen ein Ende zu machen. Aber kann man sich ein solches Elend vorstellen: Sein Papa war verschwunden! Er

hatte den richtigen Moment abgepasst und war untergetaucht in dem Gewühl von Bauern, die lärmten, schrien und lachten, und von Pferden, die wieherten und stampften, und von Ochsen und Kühen, die wild durcheinandermuhten.

So ist es immer, dachte Michel verbittert. Man kann ihn nirgendshin mitnehmen. Als Erstes läuft er immer weg.

Und gerade jetzt war es so eilig. Da kam schon ein stämmiger Pferdehändler aus Målilla und richtete seinen Blick auf Michels Pferd.

»Wie viel kostet der da?«, fragte er den Bauern, der das Pferd verkaufen wollte. Es war ein kleiner Blasser aus Tuna.

»Dreihundert Kronen«, sagte der Tunabauer, und Michel bekam Bauchschmerzen, als er das hörte. Aus seinem Papa dreihundert Kronen herauszuquetschen, das wäre ebenso schwer gewesen, wie sie direkt aus einem Felsen zu schlagen – das wusste Michel.

Aber versuchen kann ich es ja mal, dachte er. Er war ja der eigensinnigste Junge in ganz Lönneberga und ganz Småland. Also sauste er los durch das Volksgedränge, um schnell seinen Papa zu finden. Hierhin und dorthin rannte er. Immer wilder wurde er, er zog und zerrte an allen möglichen Bauern, weil er dachte, sie wären sein Papa – von hinten sahen sie so aus. Aber wenn man sie umdrehte, dann war es jedes Mal ein wildfremder Bauer aus Södra Vi oder Locknevi und niemals Anton Svensson von Katthult in Lönneberga.

Glaub nun nicht, dass Michel deshalb aufgab! Da stand ein kleiner Fahnenmast auf der Viehkoppel, und schon kletterte Michel auf seine Spitze, damit ihn alle sehen konnten, und er schrie mit voller Kraft:

»Hallo, hallo, kennt jemand diesen Jungen hier oben? Sein Vater ist weggekommen!«

Da sah er, dass unter ihm in dem Gewimmel von Bauern und Kühen und Pferden etwas geschah. Es entstand gleichsam eine Rinne durch das Gewimmel, jemand kam im Galopp zum Fahnenmast, und das war kein anderer als Michels Papa.

Anton Svensson schüttelte seinen Sohn vom Fahnenmast wie einen reifen Apfel aus dem Apfelbaum, und dann zog er ihn am Ohr.

»Lausebengel«, sagte er, »wo warst du? Musst du immer als Erstes weglaufen?«

Michel hatte keine Zeit, darauf zu antworten.

»Komm«, sagte er, »da ist ein Pferd, das du sehen musst!«

Ja, sicher sah Michels Papa das Pferd, aber da war es schon verkauft! Kann man sich so was Schreckliches vorstellen? Michel und sein Papa kamen gerade richtig, um zu sehen, wie der Pferdehändler aus Målilla drei Hunderterscheine aus der Brieftasche zog und sie dem Bauern aus Tuna in die Hand drückte.

Da weinte Michel.

»Das ist doch wohl ein freundliches Pferd?«, fragte der Pferdehändler.

»Und wie freundlich«, sagte der Bauer. Er guckte aber zur Seite, als er das sagte, und es sah aus, als ob er sich dabei etwas dachte.

»Es hat noch keine Hufeisen, sehe ich«, sagte der Pferdehändler. »Das muss ich erledigen, bevor ich nach Hause fahre.«

Michel stand da und weinte, und er tat seinem Papa so leid.

»Nun wein doch nicht, Michel«, sagte er, und dann nickte er entschlossen.

»Wir kaufen eine Tüte Zuckerstangen – koste es, was es wolle.«

Er nahm Michel mit zum Markt, wo die Bonbonfrauen in ihren Bonbonständen saßen, und kaufte Michel für zehn Öre gestreifte Zuckerstangen. Aber dann traf er einen Lönnebergabauern und fing an, mit ihm zu reden, und vergaß Michel. Michel stand da, den Mund voller Zuckerstangen und die Augen voller Tränen, und dachte an das Pferd. Plötzlich sah er Alfred. Lina kam mit ihm daher. Er sah recht müde aus, der arme Alfred, und das war kein Wunder, denn Lina hatte ihn – hin und zurück – siebzehnmal am Juwelierladen vorbeigeführt und jedes Mal versucht, ihn dort hineinzuziehen, damit er Verlobungsringe für sie kaufte.

»Wenn ich mich nicht mit beiden Füßen dagegengestemmt hätte – wer weiß, wie es ausgegangen wäre«, sagte Alfred glücklich. Er freute sich natürlich, als er Michel sah. Michel beeilte sich, ihm von dem Pferd zu erzählen, und sie standen da und seufzten zusammen über das Pferd, das niemals nach Katthult kommen sollte. Nachher kaufte Alfred einen Tonkuckuck für Michel beim Töpfer, der auf dem Markt stand und sie anbot.

»Das ist mein Jahrmarktsgeschenk für dich«, sagte Alfred, und da fühlte Michel sich innen drin, wo alles so traurig war, gleich etwas freundlicher an.

»Jaja, Kuckuckspfeifen kannst du kaufen«, sagte Lina. »Übrigens – wann kommt eigentlich dieser Komet? Ich finde, es wäre jetzt Zeit.«

Aber ein Komet war nicht zu sehen. Es war ja auch erst kurz vor zwölf Uhr mittags, deshalb brauchte er sich noch nicht zu beeilen.

Alfred und Lina mussten nun nach Markus und Julla sehen und etwas essen – sie hatten einen Korb mit Essen unter der Bank im Wagen. Michel wäre gern mit ihnen gegangen, aber er wusste, dass er um zwölf Uhr bei Frau Petrell zu Mittag essen sollte, und er sah sich nach seinem Papa um. Und – glaub es mir oder nicht – sein Papa war *wieder* verschwunden! Er hatte den richtigen Moment abgepasst und war im Getümmel des Marktes zwischen all dem Marktvolk, den Bonbonfrauen und Töpfern und Korbflechtern und Bürstenbindern und Ballonverkäufern und allen anderen Jahrmarktsleuten untergetaucht.

»Unglaublich, wie dieser Mensch immer wegkommen kann«, sagte Michel. »Wenn ich das nächste Mal in die Stadt fahre, muss er zu Hause bleiben, denn so was mach ich nicht mehr mit.«

Michel gab nicht auf, weil sein Papa verschwunden war. Er war schon früher in der Stadt gewesen und wusste ungefähr, wo Frau Petrell wohnte. Sie hatte irgendwo in der Nähe der Hauptstraße ein schmuckes weißes Haus mit einer Glasveranda.

Es kann nicht unmöglich sein, dorthin zu finden, dachte Michel.

Frau Petrell war eine der vornehmsten Frauen in Vimmerby. Es war also schon eigenartig, dass sie die Katthulter zum Mit-

tagessen einlud. Ich kann mir nicht denken, dass sie es nur wegen der guten Wurst tat, die Michels Mama immer für sie mitbrachte – so verrückt nach Wurst kann doch kein Mensch sein. Nein, es war so, dass Frau Petrell jeden Schmaus auf Katthult gern mitmachte, den Kirchenschmaus, das Krebsessen, das Käsekuchenfest und all die anderen Festessen, wo man Wurst und Rippchen und Kalbsrouladen und Fleischklößchen, Omeletts und Aal in Gelee und noch vieles andere mehr bekam. Nun kann man schließlich nicht immer zu Festessen fahren, ohne auch einmal einzuladen, meinte Frau Petrell. Es muss ja irgendwie gerecht zugehen, sagte sie sich, und deshalb hatte sie diesen Markttag genutzt, an dem die Katthulter sowieso in der Stadt waren, und hatte sie eingeladen, um zwölf Uhr zum Mittagessen zu kommen. Sie sollten tatsächlich aufgewärmten Fischpudding und Blaubeersuppe bekommen, hatte sie sich ausgedacht. Frau Petrell selbst aß etwa um elf Uhr nur ein kleines Kalbsfilet und ein großes Stück Marzipantorte, weil der Fischpudding knapp war. Es hätte doch wirklich komisch ausgesehen, wenn sie selbst dagesessen und in den Fischpudding reingehauen hätte, und ihre Gäste wären nicht satt geworden! Nein, das tat Frau Petrell nicht!

Nun saßen sie bereits am Tisch auf der Veranda, Michels Papa, Michels Mama und Klein-Ida.

»Dieser Lausejunge – es wäre leichter, einen Sack voll Flöhe zu hüten, die verliert man nicht so schnell«, sagte Michels Papa.

Er sprach von Michel.

Michels Mama wollte sofort hinauslaufen und nach ihrem kleinen Jungen suchen, obwohl Michels Papa versicherte, dass er schon überall nach ihm gesucht hätte.

Aber Frau Petrell sagte: »Wie ich Michel kenne, findet er schon her.«

Da hatte Frau Petrell ein wahres Wort gesprochen. Gerade in diesem Augenblick nämlich war Michel auf dem Weg durch ihre Gartenpforte. Aber da sah er etwas, was ihn aufhielt. Neben Frau Petrell wohnte der Bürgermeister der Stadt in einem schönen Haus mit einem Garten ringsherum, und dort zwischen den Apfelbäumen stolzierte auf hohen Stelzen ein Junge umher. Das war der kleine Gottfried vom Bürgermeister. Er entdeckte Michel und sauste sofort kopfüber in einen Fliederstrauch. Wenn du jemals versucht hast, auf Stelzen zu laufen, dann weißt du, warum. Es ist nicht leicht, auf so einem Paar langer Stangen zu balancieren, die nur jede einen kleinen Holzklotz haben, worauf man seine Füße stellen kann.

Gottfried steckte bald die Nase aus dem Busch und guckte Michel interessiert an. Wenn sich zwei kleine Jungen aus demselben Schrot und Korn zum ersten Mal treffen, dann leuchtet gleichsam ein Licht in ihren Augen auf. Gottfried und Michel sahen einander an und lächelten.

»So eine Müsse wie du möchte ich auch gern haben«, sagte Gottfried. »Leihst du sie mir?«

»Nee«, sagte Michel, »aber du kannst mir dafür deine Stelzen leihen.«

Gottfried fand, es sei ein guter Tausch.

»Aber ich glaub nicht, dass du damit gehen kannst«, sagte er. »Denn es ist schwer.«

»Werden wir ja sehen«, sagte Michel.

Er war unternehmungslustiger, als Gottfried ahnte. In einem Hui war er oben auf den Stelzen und wackelte hastig zwischen den Apfelbäumen hindurch. Das Mittagessen bei Frau Petrell hatte er völlig vergessen.

In der Glasveranda aber saßen die Katthulter und stopften den Fischpudding in sich hinein. Das war schnell getan, und danach war es Zeit, zur Blaubeersuppe überzugehen. Davon gab es viel. Eine bis an den Rand gefüllte Riesenschüssel stand mitten auf dem Tisch.

»Esst nur«, sagte Frau Petrell. »Ich hoffe, ihr habt Appetit.«

Sie selbst hatte keinen besonderen Appetit und rührte die Blaubeersuppe nicht an. Dafür redete sie umso mehr. Sie redete von dem großen Kometen, denn das taten alle Menschen an diesem Tag in Vimmerby.

»Es wäre ja zu schrecklich«, sagte sie, »wenn ein Komet allem ein Ende bereiten sollte.«

»Ja, wer weiß, die Blaubeersuppe ist vielleicht das Letzte, was man in diesem Leben isst«, sagte Michels Mama, und da schob Michels Papa schnell seinen Teller vor.

»Kann ich noch etwas haben?«, fragte er. »Für alle Fälle.«

Bevor Frau Petrell ihm aber den Teller füllen konnte, geschah etwas Furchtbares. Da gab es ein Krachen, und da war ein Schrei – und da kam hinter Frau Petrell etwas durch den großen Fensterrahmen gesaust, und plötzlich wirbelten Glasscherben und Blaubeersuppe in der ganzen Veranda durcheinander.

»Der Komet!«, schrie Frau Petrell und fiel – plumps – ohnmächtig zu Boden.

Doch es war nicht der Komet. Es war nur Michel, der wie eine Kanonenkugel durchs Fenster gekracht kam und mit dem Kopf genau in die Blaubeersuppe fuhr, dass es nur so um ihn spritzte.

Ach, das war ein Durcheinander in der Glasveranda! Michels Mama schrie, sein Papa brüllte, und Klein-Ida weinte. Nur Frau Petrell verhielt sich vollkommen still, sie lag ja ohnmächtig auf dem Boden.

»Schnell raus in die Küche! Kaltes Wasser!«, rief Michels Papa. »Wir müssen ihr die Stirn kühlen!«

So schnell sie konnte, rannte Michels Mama los, und Michels Papa rannte hinterher und trieb sie an, weil es noch schneller gehen sollte.

Michel krabbelte langsam mit einem knallblauen Gesicht aus der Schüssel.

»Warum hast du es immer so eilig, wenn du essen willst?«, fragte die kleine Ida vorwurfsvoll.

Darauf antwortete Michel nicht.

»Gottfried hatte recht«, sagte er. »Auf Stelzen kann man nicht über einen Zaun steigen. Auf jeden Fall ist *das* bewiesen.«

Dann sah er die arme Frau Petrell auf dem Fußboden liegen, und sie tat ihm leid. »Dauert es wirklich so lange, etwas Wasser herzuholen?«, sagte er. »Schnell muss hier geholfen werden, schnell!«

Michel war nicht zimperlich. Rasch nahm er die Schüssel mit der Blaubeersuppe und schüttete alles, was noch übrig war, Frau Petrell mitten ins Gesicht. Glaub mir oder nicht – es half.

»Blupp«, sagte Frau Petrell und kam blitzschnell auf die Beine. Da sieht man, wie gut es ist, *viel* Blaubeersuppe zu kochen, dann reicht sie auch bei Unglücksfällen.

»Ich hab sie schon kuriert«, sagte Michel stolz, als seine Mama und sein Papa endlich mit dem Wasser aus der Küche angelaufen kamen.

Michels Papa sah ihn finster an und sagte: »Ich weiß einen, der im Tischlerschuppen kuriert wird, wenn wir nach Hause kommen.«

Frau Petrell war noch immer wirr im Kopf. Und im Gesicht genauso blau wie Michel. Aber Michels Mama, die schnell und behände war, legte Frau Petrell aufs Sofa und nahm eine Scheuerbürste.

»Hier muss sauber gemacht werden«, sagte sie und begann zu schrubben, zuerst Frau Petrell, dann Michel und dann den Boden der Veranda. Bald sah man nicht mehr die geringste Spur von der Blaubeersuppe – außer einem kleinen Rest in einem Ohr von Michel. Seine Mama kehrte noch die Glasscherben zusammen. Sein Papa lief zum Glaser und holte eine

neue Scheibe, die er dort einkittete, wo vorher die alte gesessen hatte. Michel kam und wollte helfen, aber sein Papa ließ
ihn nicht mal in die Nähe der Fensterscheibe kommen.

»Halt du dich da raus«, zischte er. »Verschwinde nach draußen, und komm nicht wieder, ehe wir nach Hause fahren!«

Michel hatte nichts dagegen, nach draußen zu verschwinden. Er wollte gern noch etwas mit Gottfried reden. Aber er
war hungrig. Er hatte ja nichts im Magen außer einem kleinen
Schluck Blaubeersuppe, den er in sich hineingeschlürft hatte,
während er mit dem Kopf in der Schüssel steckte.

»Hast du was zu essen im Haus?«, fragte er Gottfried, der
noch immer hinter dem Zaun stand.

»Na, das will ich meinen«, sagte Gottfried. »Papa wird heute fünfzig Jahre alt, und das soll groß gefeiert werden. Da gibt
es Essen, dass sich die Speisekammertüren biegen.«

»Gut«, sagte Michel. »Ich könnte vielleicht etwas davon
probieren und sehen, ob es richtig gesalzen ist.«

Gottfried dachte nicht lange nach. Er ging in die Bürger-
meisterküche und kam zurück mit einer Menge guter Sachen
auf einem Teller: mit Würstchen und Fleischklößen, mit klei-

nen Pasteten und von jedem etwas. Dann standen sie da, Gottfried und Michel, jeder auf seiner Seite des Zaunes, und aßen alles auf, und Michel war glücklich und zufrieden.

Bis Gottfried sagte: »Heute Abend machen wir Feuerwerk, das größte, das es jemals in Vimmerby gegeben hat!«

Der arme Michel hatte in seinem ganzen Leben noch nie ein Feuerwerk gesehen – für solche Torheiten hatten die Leute in Lönneberga nichts übrig –, und nun grämte er sich bitter, dass hier ein Riesenfeuerwerk stattfinden sollte, das er auch nicht sehen konnte, weil die Katthulter schon lange vor dem Abend nach Hause fahren mussten.

Michel seufzte. Wenn man nachdachte, dann war das ein trauriger Jahrmarktstag. Kein Pferd, kein Feuerwerk, nur Kummer und zu Hause ein Tischlerschuppen, der einen erwartete. Das also war aus allem geworden.

Trübsinnig sagte er Gottfried Auf Wiedersehen und machte

sich auf den Weg, um Alfred zu suchen, seinen Freund und seinen Trost, wenn er traurig war.

Aber wo war Alfred? Die Straßen waren vollgestopft mit Menschen, mit Marktbauern und Einwohnern von Vimmerby, alles durcheinander. Alfred in diesem Durcheinander zu treffen, das war nicht das Leichteste. Michel trabte herum und suchte einige Stunden lang und machte in der Zeit ziemlich viel Unfug, der aber nie in ein Schreibheft eingetragen wurde, weil keiner dahinterkam. Alfred aber fand er nicht.

Im Oktober wird es zeitig dunkel. Bald würde es dämmern, bald würde der Jahrmarktstag für immer vorbei sein. Die Marktbesucher dachten schon an ihre Heimfahrt, und eigentlich hätten die Vimmerbyer auch allmählich anfangen müssen, sich in ihre Häuser zurückzuziehen, aber das wollten sie nicht. Sie wollten noch immer draußen auf den Straßen lachen und miteinander reden und Krach machen. Sie wirkten alle so seltsam aufgeregt – ja, aber bedenke, was für ein Tag das auch war! Jahrmarktstag und Geburtstag des Bürgermeisters und vielleicht der letzte Tag der Welt, falls dieser Komet nun tatsächlich angezischt kommen sollte. Du verstehst sicher, wie eigenartig es für die Vimmerbyer war, in der Dämmerung herumzugehen und zu warten und nicht zu wissen, ob es etwas Lustiges oder Schreckliches war, worauf sie warteten. Wenn Menschen fröhlich und ängstlich zugleich sind, machen sie mehr Krach als gewöhnlich. Deshalb nahmen Leben und Lärm auf den Straßen immer mehr zu. In den Häusern aber war es still und friedlich, und niemand war zu Hause als die Katzen und die eine oder andere Großmutter, die auf die Enkelkinder aufpassen musste.

Wenn du schon einmal durch eine kleine Stadt wie Vimmerby geschlendert bist, vielleicht an einem Markttag und vielleicht gerade in der Dämmerung, dann weißt du, wie schön es
ist, dort durch die kleinen kopfsteingepflasterten Straßen zu
gehen und hinter den Fenstern der kleinen Häuser die Groß-
mütter und Enkelkinder und Katzen zu sehen. Und du weißt
auch, wie spannend es ist, durch finstere Gänge und Tore zu
schleichen und in dunkle Höfe zu kommen, wo die Marktbesucher ihre Fuhrwerke abgestellt haben und nun noch herum-
stehen, eine Flasche Bier in der Hand, bevor sie anspannen und
heimfahren.

Michel fand es auch schön und spannend. Bald hatte er vergessen, wie unzufrieden er eben noch gewesen war, und er
war sicher, dass er Alfred früher oder später finden würde. Er
fand ihn auch, aber zuerst fand er etwas anderes.

Wie er so durch eine kleine Gasse ging, hörte er den wildesten Lärm aus einem dunklen Hof. Er hörte Männer, die fluchten und schimpften, und ein Pferd, das wieherte. Rasch huschte Michel durch das Tor hinein, um rauszukriegen, was da los war. Was er sah, war wirklich keine Freude für ihn. In diesem Hof war eine alte Hufschmiede, und im Schein des Feuers sah er mitten in einem Haufen aufgeregter, wütender Männer sein Pferd, sein schönes braunes Pferdchen. Und rat mal, warum sie wütend waren? Nur, weil das braune Pferd sich keine Hufeisen aufnageln lassen wollte. Sobald der Hufschmied ein Bein des Pferdes hochzuheben versuchte, legte es los mit den wildesten Sprüngen, mit Ausschlagen und Bocken, dass die Männer nur so auseinanderstoben. Der Schmied raufte sich die Haare und wusste nicht, was er machen sollte.

»In meinem Leben habe ich schon viele Pferde beschlagen«, sagte er, »aber so eins ist mir noch nie vorgekommen.«

Du weißt vielleicht nicht, was ein Hufschmied ist? Das ist ein Mann, der den Pferden Schuhe anpasst. Ja, Pferde brauchen Schuhe, genau wie du, sie würden sonst ihre Hufe abnutzen und auf abschüssigen Wegen rutschen und sehr schlecht laufen können. Natürlich haben sie keine gewöhnlichen Schuhe an, sondern gebogene Eisen, die man auf den Hufen festnagelt: ganz einfach Hufeisen – falls du solche schon mal gesehen hast.

Das braune Pferd aber hatte sich offensichtlich entschlossen, keine Eisen zu dulden. Es stand so still und fromm, wie man es sich nur wünschen konnte, solange niemand eins der Hinterbeine berührte; kam aber der Hufschmied mit seiner Hand und streifte ein Bein, dann begann derselbe wilde Zirkus wie vorher, und das Pferd stieß sich frei, obwohl ein

halbes Dutzend Männer es zu halten versuchten. Der Pferdehändler aus Målilla, der das Pferd gekauft hatte, wurde von
Mal zu Mal grimmiger.

»Jetzt mach ich's selbst …«, sagte er schließlich und packte
energisch ein Hinterbein des Pferdes. Aber da bekam er einen
Tritt, dass er sich mitten in eine Regenpfütze setzte.

»Jaja, so geht es«, sagte ein Bauer, der dastand und zusah.
»Glaubt mir, es ist nicht möglich, dieses Pferd zu beschlagen,
denn das haben die zu Hause in Tuna schon mindestens zwanzig Mal versucht.«

Da begriff der Pferdehändler, dass er bei seinem Pferdekauf
betrogen worden war, und tobte noch mehr.

»Das Pferdevieh mag nehmen, wer will!«, schrie er. »Wenn
ich ihn nur los bin!«

Und wer trat jetzt vor? Natürlich Michel.

»Ich kann ihn nehmen«, sagte er.

Da lachte der Pferdehändler.

»Du kleiner Dreikäsehoch?«

Er hatte es ja nicht ernst gemeint, dass er das Pferd weggeben wolle, aber weil so viele herumstanden und zuhörten, musste er jetzt versuchen, auf pfiffige Art aus der Klemme zu kommen, und deshalb sagte er:

»Natürlich, du sollst das Pferd haben, wenn du es so festhalten kannst, dass wir es beschlagen können!«

Darüber lachten alle, die dort standen, denn sie hatten es ja selbst versucht und wussten, dass dies ein Pferd war, das niemand halten konnte.

Aber du darfst nicht glauben, dass Michel dumm war. Er wusste mehr über Pferde als irgendeiner in ganz Lönneberga und in ganz Småland, und als das braune Pferd am wildesten ausschlug und herumsprang und wieherte, da dachte Michel: Es stellt sich genauso an wie Lina zu Hause, wenn man sie kitzelt!

Genauso war es, und Michel war der Einzige, der das begriff. Das Pferd war ganz einfach kitzlig. Deshalb schnaubte es und stieß und schlug aus wie Lina, und wenn es so laut wieherte, dann nur, weil es sich, genau wie Lina, totlachte, sobald jemand seine Hinterbeine berührte. Du weißt ja selbst, wie das ist, wenn man gekitzelt wird.

Michel ging also zu dem Pferd und nahm dessen Kopf zwischen seine kleinen, starken Hände.

»Hör mal, du«, sagte er, »mach jetzt keinen Ärger. Du sollst Hufeisen bekommen. Ich versprech dir, dich nicht zu kitzeln.«

Rate, was Michel dann machte! Er ging hinter das Pferd und nahm mit einem schnellen Griff einen Hinterhuf und hob ihn hoch. Das Pferd drehte nur den Kopf und guckte Michel so freundlich an, als wollte es sehen, was Michel eigentlich vor-

hatte. Denn, siehst du, in den Hufen hat ein Pferd nicht mehr
Gefühl, als du in deinen Nägeln hast, und nun verstehst du
sicher, dass es dort kein bisschen kitzlig ist.

»Bitte sehr«, sagte Michel zum Schmied, »kommen Sie mit
dem Hufeisen! Ich halte fest.«

Da ging ein Raunen durch die Reihe der Männer, und es
raunte weiter, während Michel dem Hufschmied half, unter
alle vier Hufe des Pferdes Eisen zu nageln.

Aber als das erledigt war, begann der Pferdehändler sich
zu winden. Er wusste zwar, was er versprochen hatte, aber er
wollte dieses Versprechen nicht halten. Stattdessen nahm er
einen Fünfkronenschein aus seiner Brieftasche und wollte ihn
Michel geben.

»Das reicht wohl«, sagte er.

Da wurden die Bauern aber böse. Sie waren alle, wie sie
dort standen, ehrenwert, und sie waren gewohnt, ihr Wort zu
halten.

»Versuch das gar nicht erst«, sagten sie. »Der Junge bekommt das Pferd!«

Und dabei blieb es. Der Pferdehändler war reich, das wussten alle, und anstandshalber musste er zu seinem Wort stehen.

»Na gut, dreihundert Kronen sind ja nicht die Welt«, sagte er. »Nimm das Pferdevieh und verschwinde!«

Rate, ob Michel froh war! Er sprang auf sein frisch beschlagenes Pferd und ritt durch das Tor wie der kühnste General. Alle Bauern schrien Hurra!, und der Hufschmied sagte:

»Solche Sachen sind das, die passieren, wenn Jahrmarkt in Vimmerby ist!«

Michel aber ritt durch das Marktgetümmel, glücklich und stolz, dass es um ihn herum nur so funkelte. Und auf der Hauptstraße, mitten im ärgsten Menschengewimmel, kam ihm tatsächlich Alfred entgegen.

Er blieb mit einem Ruck stehen und riss die Augen auf.

»Junge, Junge«, rief er, »was ist das für ein Pferd?«

»Mein Pferd«, sagte Michel. »Es heißt Lukas, und du kannst mir glauben, es ist genauso kitzlig wie Lina.«

Gerade da kam Lina angerannt und zog Alfred am Jackenärmel.

»Wir wollen nach Hause fahren«, sagte sie. »Der Bauer spannt schon an.«

Ja, nun war aller Spaß zu Ende – nun wollten die Katthulter wieder nach Lönneberga fahren. Etwas aber wollte Michel unbedingt noch tun: Er wollte Gottfried sein Pferd zeigen.

»Sagt Papa, dass ich in fünf Minuten komme«, rief er und ritt los zum Bürgermeisterhaus, dass es auf den Pflastersteinen klapperte.

Die Oktoberdämmerung hatte sich über Haus und Garten des Bürgermeisters gesenkt, aber alle Fenster leuchteten festlich, und aus dem Innern des Hauses hörte man Gelächter und Gerede. Das Fest des Bürgermeisters war in vollem Gang.

Draußen im Garten ging Gottfried auf und ab. Er machte sich nichts aus Festlichkeiten und hatte deshalb wieder seine Stelzen genommen. Aber als Michel angeritten kam, schoss er kopfüber in den Fliederstrauch. »Wessen Pferd ist das?«, fragte er, kaum dass er die Nase hervorstreckte.

»Meins«, sagte Michel. »Es gehört *mir*!«

Zuerst wollte Gottfried es nicht glauben, aber als er endlich begriff, dass es wahr war, wurde er wütend. Wie hatte er seinem Papa in den Ohren gelegen, ihm ein Pferd zu kaufen! Vom Morgen bis zum Abend hatte er um ein Pferd gebettelt – und was hatte sein Papa ihm immer wieder geantwortet?

»Dafür bist du zu klein. Es gibt keinen einzigen Jungen in deinem Alter, der ein Pferd hat!«

Was für eine himmelschreiende Lüge! Hier kam nun Michel – da konnte sein Papa sich ja überzeugen, wenn er Augen im Kopf hatte und wenn er nur herauskommen würde, um das zu sehen! Aber der saß drinnen bei Tisch und feierte, erklärte Gottfried Michel. Er saß fest in einem Haufen von Dummköpfen, die nur aßen und tranken und schwatzten und Reden hielten und niemals fertig wurden.

»Ich krieg ihn nicht heraus«, sagte Gottfried traurig, und Tränen standen ihm in den Augen.

Michel tat Gottfried leid, und Michel war nie um einen Ausweg verlegen. Wenn der Bürgermeister nicht zum Pferd kommen konnte, dann konnte ja das Pferd zum Bürgermeister

kommen, das war doch nicht schwer. Man brauchte nur die
Treppe hinaufzureiten und durch die Tür und durch die Die-
le ins Esszimmer. Das Einzige, was Gottfried zu tun hatte, war,
die Türen aufzuhalten.

Wenn du jemals auf einem Fest gewesen bist, wo plötzlich
ein Pferd hereinkommt, dann weißt du, dass manche Menschen die Augen aufreißen und hochfahren, als ob sie noch
nie im Leben ein Pferd gesehen hätten. Das taten sie auch bei

dieser Feier. Besonders der Bürgermeister. Er zuckte so zusammen, dass ihm ein großes Tortenstück im Hals stecken blieb.

Deshalb konnte er zu seiner Verteidigung auch kein Wort hervorbringen, als Gottfried schrie:

»Was sagst du nun? Hier, hier siehst du doch, dass es welche gibt, die Pferde haben!«

Eigentlich waren die Festgäste von Herzen froh, als das Pferd hereinkam, und das war ganz natürlich, denn Pferde sind ja liebe Tiere. Alle wollten Lukas streicheln. Michel saß oben auf dem Pferderücken und lächelte zufrieden. Sein Pferd durften sie gern streicheln.

Aber da kam ein alter Major, der wollte zeigen, wie gut er sich auf Pferde verstand. Er wollte Lukas ein wenig in die Hinterbeine zwicken. Ach, ach, ach – er wusste ja nicht, wie kitzlig Lukas war!

Der Bürgermeister hatte eben das Tortenstück so einigermaßen aus dem Hals bekommen und wollte gerade das eine

oder andere Wort zu Gottfried sagen, aber da, gerade da zwickte der Major den Lukas in ein Hinterbein. Im selben Augenblick schlug Lukas aus und traf mit dem Huf einen kleinen Serviertisch, der dort stand, und schon sauste die ganze große Sahnetorte quer durchs Zimmer und landete mit einem Klatsch mitten im Gesicht des Bürgermeisters.

»Blupp«, sagte der Bürgermeister.

Merkwürdigerweise lachten alle los; sie verstanden es eben nicht besser.

Nur die Bürgermeisterin wagte nicht, zu lachen. Ängstlich kam sie mit dem Tortenheber angelaufen. Hier galt es sofort mit einer Ausgrabung anzufangen, damit ihr armer Mann zumindest für die Augen ein Paar Gucklöcher bekam, sonst konnte er ja nicht sehen, was weiter auf seiner Geburtstagsfeier geschah.

Aber da fiel Michel plötzlich ein, dass er heimmusste nach Lönneberga, und er ritt schnell zur Tür hinaus. Gottfried lief ihm nach, denn jetzt war mit Papa doch nicht zu reden, weil er voller Sahne war, und außerdem konnte Gottfried sich nicht von Lukas trennen.

Draußen an der Gartenpforte wartete Michel, um ihm Auf Wiedersehen zu sagen.

»Hast du ein Glück«, sagte Gottfried und streichelte Lukas ein letztes Mal.

»Ja, das hab ich«, sagte Michel.

Gottfried seufzte.

»Aber wir werden jedenfalls ein Feuerwerk haben«, sagte er, wie um sich selbst zu trösten. »Das da.«

Er zeigte Michel all die Feuerwerkskörper, die auf dem Gartentisch in der Fliederlaube lagen, und bei Michel zündete es sofort. Sicher hatte er es eilig – aber er hatte in seinem ganzen armen Leben auch noch nie ein Feuerwerk gesehen.

»Ich könnte einen zur Probe anstecken«, sagte er. »Um festzustellen, ob er in Ordnung ist.«

Gottfried dachte nicht lange nach. Er nahm einen Feuerwerkskörper aus dem Haufen heraus.

»Ja, aber nur diesen kleinen Knallfrosch«, sagte er.

Michel nickte und kletterte vom Pferd.

»Ja, nur diesen kleinen Knallfrosch. Kann ich ein Streichholz haben?«

Das bekam er. Und piff, paff!, machte sich der kleine leuchtende Knallfrosch auf den Weg. Ja, der war in Ordnung! Hin und her schoss er, und zum Schluss hopste er auf den Gartentisch zurück und legte sich wieder zwischen all die anderen Feuerwerkskörper. Er wollte wohl nicht allein sein, könnte ich mir denken. Aber davon bemerkten weder Michel noch Gottfried etwas, denn sie hörten auf einmal lautes Rufen hinter sich. Das war der Bürgermeister, der auf die Treppe herausgelaufen kam und mit ihnen reden wollte. Er war nun fast frei

von Sahne, nur der Bart schimmerte noch weiß im Oktoberdunkel.

Auf den Straßen von Vimmerby gingen die Vimmerbyer immer noch spazieren und lachten, johlten und schrien und wussten nicht, ob sie auf etwas Lustiges oder auf etwas Schreckliches warteten.

Und da kam es! Da kam das Schreckliche, auf das sie insgeheim mit Schaudern gewartet hatten. Plötzlich stand über dem Bürgermeisterhaus der ganze Himmel in Flammen. Plötzlich war die Welt voll von glühenden, zischenden Schlangen und leuchtenden Kugeln und herabstürzendem Feuer. Es krachte und knatterte und puffte und zischte und wurde so schauerlich, dass die armen Vimmerbyer vor Schreck erbleichten.

»Der Komet!«, schrien sie. »Hilfe! Wir sterben!«

Es wurde ein Geschrei und ein Weinen, wie man es nie zuvor in der Stadt gehört hatte, denn alle glaubten, ihre letzte Stunde sei gekommen. Arme Menschen, kein Wunder, dass

sie kreischten und haufenweise auf den Straßen ohnmächtig wurden. Nur Frau Petrell saß völlig ruhig in ihrer Glasveranda und sah die Feuerkugeln draußen herumwirbeln.

»An Kometen glaube ich nicht länger«, sagte sie zu ihrer Katze. »Ich wette, das ist dieser Michel, der wieder in Fahrt ist.«

Damit sprach Frau Petrell ein wahres Wort. Natürlich waren es Michel und sein kleiner Knallfrosch, die das ganze Geburtstagsfeuerwerk »in Ordnung« gebracht und alles auf einmal in die Luft geknallt hatten.

Aber natürlich war es ein Glück, dass der Bürgermeister gerade im richtigen Augenblick herausgekommen war. Sonst hätte er von seinem großartigen Feuerwerk vielleicht nichts gesehen. Jetzt aber stand er dort, wo es am meisten wirbelte und knallte, und er hatte wirklich damit zu tun, jedes Mal zur Seite zu springen, wenn ihm eine Feuerkugel um die Ohren pfiff. Michel und Gottfried begriffen, dass er es lustig fand, denn er stieß bei jedem Hopser kleine fröhliche Schreie aus. Nur als eine Rakete zischend in eines seiner Hosenbeine fuhr, da wurde er sichtlich wütend. Warum sonst hätte er so ein kolossales Gebrüll angestimmt und das Gezeter so eigensinnig fortgesetzt, während er zur Wassertonne an der Hausecke lief und dort wie ein Rasender das Bein eintauchte? So was kann man mit Raketen nicht machen, die verlöschen dann ja, das hätte er sich doch denken können.

»Aber jetzt hab ich endlich ein Feuerwerk gesehen«, sagte Michel, der versteckt neben Gottfried hinter dem Holzschuppen des Bürgermeisters lag.

»Ja, jetzt hast du wirklich ein Feuerwerk gesehen«, sagte Gottfried.

Danach schwiegen sie und warteten. Auf nichts Besonderes, nur darauf, dass der Bürgermeister aufhören würde, wie eine große, böse Hummel im Garten herumzuschwirren.

Aber als dann eine Weile später der Katthultwagen heim nach Lönneberga rollte, waren alle Sonnen und Feuerkugeln längst erloschen. Da leuchteten nur noch die Sterne über den Tannenspitzen. Dunkel war der Wald, und dunkel war der Weg, Michel aber war glücklich und sang, während er auf seinem Pferd durch die Dunkelheit ritt:

»Hei-hopp – Vater mein!
So muss mein Pferdchen sein:
das schnellste, das beste auf der Welt –
und alles, alles – ohne Geld!«

Und sein Vater saß auf dem Wagen und
kutschierte, sehr zufrieden mit seinem Michel. Sicher
hatte der Junge mit seinem Unfug und seinen Kometereien
Frau Petrell und ganz Vimmerby beinahe um den Verstand
gebracht, aber hatte er es nicht auch zu einem Pferd gebracht?
Und ohne auch nur ein Öre dafür zu bezahlen – das war
schließlich die Hauptsache. Einen solchen Jungen gab es nicht
in ganz Lönneberga, und diesmal sollte er nicht in den Tischlerschuppen, dachte Michels Papa.

Er war übrigens in ausgelassener Stimmung, vielleicht
deshalb, weil er, gerade als sie abfahren wollten, einen alten
Bekannten getroffen hatte, der ihn zu ein paar Flaschen Bier
eingeladen hatte. Normalerweise trank Michels Papa kein
Bier, nein, so einer war er nicht, aber wenn er eingeladen wurde und wenn es nichts kostete – was sollte er da machen?

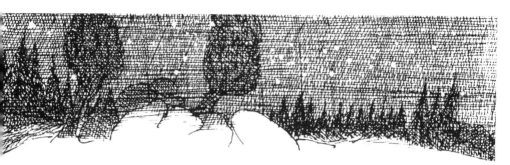

Michels Papa knallte munter mit der Peitsche, während er kutschierte, und rief mit Nachdruck:

»Hier kommt der gute Katthult-Vater ... ein bedeu-heu-heutender Mann!«

»Hoho, jaja«, sagte Michels Mama, »was für ein Glück, dass nicht jeden Tag Jahrmarkt ist. Oh, wie schön wird es sein, nach Hause zu kommen!«

Auf ihrem Schoß schlief Klein-Ida. Ihr Jahrmarktsgeschenk hielt sie mit den Händen fest umschlossen. Es war ein kleiner weißer Porzellankorb mit rosa Porzellanrosen. Darauf stand: »Andenken an Vimmerby«.

Hinten schlief Lina, an Alfreds Arm gelehnt. Alfreds Arm schlief auch, denn Lina hatte lange schwer auf ihm gelegen. Aber sonst war Alfred munter und bei bester Laune, genau wie sein Bauer, und er sagte zu Michel, der neben ihm ritt:

»Morgen fahren wir den ganzen Tag Mist, das wird lustig.«

»Morgen reite ich auf meinem Pferd«, sagte Michel. »Den ganzen Tag. Das wird lustig.«

Und genau in dem Augenblick schwenkte der Wagen um die allerletzte Wegbiegung, und sie konnten das Licht im

Küchenfenster sehen, zu Hause auf Katthult, wo Krösa-Maja mit dem Abendbrot wartete.

Nun glaubst du vielleicht, dass Michel aufhörte, Unfug zu machen, nur weil er ein Pferd bekommen hatte. Aber so war es nun doch nicht. Zwei Tage ritt er auf Lukas herum, aber schon am dritten Tag, also am 3. November, war er bereit, wieder loszulegen. Rat mal, was er tat ... hohoho, ich muss lachen, wenn ich daran denke! Es war so, dass Michel gerade an diesem Tag ... Nein, halt! *Halt!* Ich hab Michels Mama ja versprochen, niemals zu erzählen, was er am 3. November angestellt hat, denn nach diesem Unfug sammelten die Lönneberger das Geld – du erinnerst dich doch – und wollten Michel nach Amerika schicken. Michels Mama wollte hinterher am liebsten alles vergessen. Sie hat es nicht einmal in das blaue Schreibheft geschrieben, und warum also sollte ich davon erzählen? Nein, stattdessen sollst du erfahren, was Michel am zweiten Weihnachtstag tat. Es war

Montag, der 26. Dezember,

als Michel »Das große Aufräumen von Katthult« veranstaltete und die Maduskan in der Wolfsgrube fing

B evor es Weihnachten werden konnte, musste man erst den kalten und regnerischen dunklen Herbst überstehen, und der ist wohl nirgendwo besonders lustig. Das war er auch nicht auf Katthult. Alfred ging im Nieselregen hinter den Ochsen her und pflügte den steinigen Acker, und hinter ihm in der Furche trabte Michel. Er half Alfred, die Ochsen anzutreiben, die träge und unmöglich waren und überhaupt nicht begriffen, wozu Pflügen gut sein sollte. Aber es wurde ja schnell dunkel, und Alfred spannte aus, und dann trotteten sie nach Hause, Alfred, Michel und die Ochsen. Nachher kamen Alfred und Michel mit großen Erdklumpen an den Stiefeln in die Küche und brachten Lina zur Weißglut, denn sie war besorgt um ihren frisch gescheuerten Fußboden.

»Sie ist zu pingelig«, sagte Alfred. »Wer sie heiratet, hat keine ruhige Stunde mehr in seinem Erdenleben.«

»Ja, und das wirst wohl du sein«, sagte Michel.

Alfred schwieg und dachte nach.

»Nee, siehst du, das werde ich nicht«, sagte er schließlich. »Ich trau mich nicht. Aber ich trau mich auch nicht, ihr das zu sagen.« »Willst du, dass *ich* es sage?«, fragte Michel, der sehr mutig und verwegen war. Doch das wollte Alfred nicht.

»Das muss ihr schonend beigebracht werden«, sagte er, »damit sie nicht traurig wird.«

Alfred dachte lange darüber nach, wie er es anstellen sollte, Lina beizubringen, dass er sie nicht heiraten wollte, aber er hatte keine gute Idee.

Nun lag die Herbstdunkelheit schwer über Katthult. Schon nachmittags gegen drei Uhr musste man in der Küche die Petroleumlampe anzünden, und dann saßen sie alle dort und jeder war für sich beschäftigt. Michels Mama ließ das Spinnrad laufen und spann feines weißes Garn – daraus sollten für Michel und Ida Strümpfe werden. Lina kämmte Wolle, und das tat Krösa-Maja auch, wenn sie da war. Michels Papa flickte Schuhe und sparte damit eine Menge Geld, das sonst der Dorfschuster eingesteckt hätte. Alfred war nicht weniger tüchtig, er stopfte sich seine Strümpfe selbst. Sie hatten an den Zehen und Fersen immer große Löcher, aber die zog Alfred schnell zusammen. Lina wollte ihm gern helfen, aber Alfred erlaubte es nicht.

»Nee, siehst du, denn dann säße ich in der Falle«, erklärte er Michel. »Und nachher hilft es nichts mehr, wie schonend man es ihr auch beibringt.«

Michel und Ida saßen oft unter dem Tisch und spielten

mit der Katze. Einmal versuchte Michel Ida einzureden, dass die Katze eigentlich ein Wolf sei, und als sie es nicht glauben wollte, stimmte er ein Wolfsgeheul an, dass alle in der Küche zusammenfuhren. Seine Mama wollte wissen, was das Geheul bedeute, und da sagte Michel:

»Wir haben hier unterm Tisch einen Wolf.«

Sofort begann Krösa-Maja von Wölfen zu erzählen, und da krochen Michel und Ida fröhlich unterm Tisch hervor, um zuzuhören. Jetzt würde es etwas Gruseliges geben, das wussten sie, denn es waren immer nur Gruselgeschichten, die Krösa-Maja erzählte. Wenn es nicht um Mörder oder Einbrecher oder Geister ging, dann ging es um schreckliche Enthauptungen und fürchterliche Feuersbrünste und schreckliches Unglück

und tödliche Krankheiten oder gefährliche Tiere. Wie zum Beispiel Wölfe.

»Als ich klein war«, begann Krösa-Maja, »da gab es hier in Småland viele Wölfe.«

»Aber dann kam König Karl XII. und schoss sie ab – zum Glück«, sagte Lina.

Da wurde Krösa-Maja böse. Alt war sie ja, aber nicht so alt, wie Lina glaubte.

»Du redest doch nur, wie du es verstehst«, sagte Krösa-Maja und wollte nichts mehr erzählen. Michel aber schmeichelte und drängte, und schließlich fing sie wieder an und erzählte sehr viel Schauriges von Wölfen und davon, wie man früher, als sie noch klein war, Wolfsgruben machte und Wölfe darin fing.

»Also da brauchte Karl XII. dann nicht mehr zu kommen ...«, fing Lina von Neuem an, hörte aber schnell auf, denn Krösa-Maja wurde wieder böse, und das war auch kein Wunder. Karl XII. war ein König, der vor Hunderten von Jahren gelebt hatte, musst du wissen, und so alt oder uralt war Krösa-Maja ja nicht. Aber Michel kriegte sie wieder herum. Und da erzählte Krösa-Maja von Werwölfen, die die fürchterlichsten aller Wölfe wären und die nur im Mondschein umherschlichen. Die Werwölfe könnten sprechen, sagte Krösa-Maja, denn sie wären keine gewöhnlichen Wölfe, sie wären so etwas zwischen Wolf und Mensch und die schrecklichsten Ungeheuer. Träfe man einen Werwolf im Mondschein, dann könnte man der Welt getrost Gute Nacht sagen, denn schlimmere Raubtiere gäbe es nicht. Und deshalb sollten die Menschen nachts drinnen bleiben, wenn Mondschein wäre, sagte Krösa-Maja und starrte Lina böse an.

»Obwohl Karl XII. …«, begann Lina.

Da schleuderte Krösa-Maja die Wollkämme von sich und sagte, dass sie nun nach Hause gehen müsse, denn jetzt fühle sie sich wirklich alt und müde.

Aber am Abend, als Michel und Ida in ihren Betten in der Kammer lagen, redeten sie wieder von den Wölfen.

»Es ist gut, dass es jetzt keine mehr gibt«, sagte Ida.

»Keine mehr gibt?«, antwortete Michel. »Woher weißt du das, wenn du keine Wolfsgrube hast, um sie darin zu fangen?«

Lange lag er wach und dachte darüber nach, und je länger er nachdachte, desto sicherer war er, dass er nur eine Wolfsgrube brauchte; dann würde er schon einen Wolf darin fangen. Flink, wie er war, begann er gleich am nächsten Morgen, sich zwischen dem Tischlerschuppen und der Vorratskammer eine Wolfsgrube zu graben. Es war die Stelle, wo im Sommer die vielen Brennnesseln wuchsen, die aber jetzt schwarz und verwelkt am Boden lagen.

Es dauert eine ganze Zeit, bis eine Wolfsgrube gegraben ist. Tief musste sie sein, wenn der Wolf nicht wieder herauskommen sollte, nachdem er einmal hineingefallen war. Alfred half Michel hin und wieder mit einigen Spatenstichen – trotzdem war die Grube erst gegen Weihnachten fertig.

»Ist doch gut so«, sagte Alfred, »denn die Wölfe kommen nicht eher aus dem Wald heraus, bevor es kalter Winter ist und sie richtig ausgehungert sind.«

Klein-Ida schüttelte sich, wenn sie an die hungrigen Wölfe dort hinten im Wald dachte, die in der kalten Winternacht angeschlichen kommen und heulend um die Hausecken streichen würden. Aber Michel schüttelte sich nicht. Er sah Alfred mit glitzernden Augen an und freute sich schon auf den Wolf, der in seine Grube fallen sollte.

»Nun muss ich sie nur noch mit Ästen und Zweigen abdecken, damit der Wolf die Grube nicht vorher sieht«, sagte er zufrieden, und Alfred stimmte zu.

»Das ist richtig! Listig muss man sein, sagte Stolle-Jocke und fing die Laus mit den Zehen«, sagte Alfred.

So pflegte man nämlich in Lönneberga zu sagen. Nur Alfred hätte es nicht sagen dürfen, denn Stolle-Jocke war sein Großvater, der im Armenhaus von Lönneberga saß, und über seinen Großvater soll man sich nicht lustig machen. Alfred meinte es natürlich nicht böse, keineswegs. Er sagte nur das, was alle anderen sagten.

Dann war nur noch auf den Wolfswinter zu warten, der ja kommen musste. Und er kam auch. Kurz vor Weihnachten gab es Frost, und mit einem Mal fing es an zu schneien, dass es eine Freude war. Es schneite über ganz Katthult und über ganz Lönneberga und über ganz Småland, bis alles unter einer einzigen Schneedecke lag. Die Zaunlatten ragten gerade noch heraus, sodass man sehen konnte, wo die Wege waren. Aber dass sich eine Wolfsgrube zwischen der Vorratskammer und dem Tischlerschuppen verbarg, das konnte jetzt niemand mehr erkennen. Darüber lag der Schnee, ein weicher weißer Teppich, und Michel betete jeden Abend, dass seine Äste und Zweige nicht brechen möchten, bevor der Wolf kam und in seine Grube plumpste.

Jetzt hatten sie in Katthult viel zu tun, denn dort wurde Weihnachten gründlich vorbereitet. Zuerst die große Weihnachtswäsche. Lina und Krösa-Maja knieten auf dem eiskalten Steg am Katthultbach und spülten Wäsche. Lina weinte und hauchte auf ihre Finger, weil sie vor Frost schmerzten. Das große Weihnachtsschwein wurde geschlachtet, und nun, sagte Lina, hatte man selbst kaum noch Platz in der Küche zwischen all den Fleischwürsten, den Klößen, den Bratwürsten und Leberwürsten, die sich neben Schinken und Sülze und gepökelten Schweinsrippen und ich weiß nicht was noch allem drängten. Dünnbier gehörte auch dazu, wenn Weihnachten war. Das hatte Michels Mama in dem großen Holzbottich im Brauhaus gebraut. Gebacken wurde, dass einem schwindlig werden konnte: Sirupbrot, feines Roggenbrot und Safranbrot

und Weizenbrot und Pfefferkuchen und besonders leckere kleine Brezeln und Sahnebaisers, bunte Kekse und Spritzgebäck, ja, aufzählen kann man nicht alles. Kerzen musste man selbstverständlich auch haben. Michels Mama und Lina brachten fast eine ganze Nacht damit zu, Kerzen zu ziehen, große Kerzen und kleine Kerzen und Baumkerzen, denn nun sollte hier wirklich Weihnachten werden. Alfred und Michel spannten Lukas vor den Holzschlitten und fuhren in den Wald, um einen Weihnachtsbaum zu schlagen, und Michels Papa ging in die Scheune und kramte einige Hafergarben hervor, die er für die Spatzen aufbewahrt hatte.

»Es ist natürlich eine wahnsinnige Verschwendung«, sagte er, »aber wenn Weihnachten ist, sollen es die Spatzen auch einmal gut haben.«

Es gab noch mehr, an die man denken musste, mehr, denen es auch einmal gut gehen sollte, wenn Weihnachten war. All die Armenhäusler, die Menschen im Armenhaus! Du weißt sicher nicht, was es mit einem Armenhaus auf sich hatte, und darüber kannst du nur froh sein. Ein Armenhaus war etwas, was es in früheren Zeiten gab, und wenn ich davon alles genau erzählen wollte, würde es schauerlicher werden als sämtliche Schreckensgeschichten von Krösa-Maja über Mörder und Geister und wilde Tiere. Wenn du dir eine schäbige kleine Hütte mit einigen Zimmern darin vorstellst und die Hütte voll mit armen, verbrauchten alten Menschen, die dort zusammen wohnen – in einem einzigen Durcheinander von Dreck und Schmutz und Läusen und Hunger und Elend, dann weißt du, wie damals diese Armen in einem Armenhaus lebten. In Lönneberga war das Armenhaus bestimmt nicht schlechter als anderswo, aber trotzdem war es schrecklich genug, dort zu landen, wenn man alt geworden war und sich nicht mehr selbst helfen konnte.

»Armer Großvater«, pflegte Alfred zu sagen, »schöne Tage hat er nicht. Es ginge ja noch, wenn dort nur nicht die herrschsüchtige, zänkische Maduskan kommandieren würde.«

Dieser Drache von Weib hatte im Armenhaus zu bestimmen. Sicher, sie war auch nur eine Armenhäuslerin, aber sie war die größte und stärkste und boshafteste, und deshalb war

sie es, die dort kommandierte, was niemals geschehen wäre, wenn Michel es geschafft hätte, schneller zu wachsen und Gemeinderatspräsident zu werden. Aber jetzt war er leider noch ein kleiner Junge und konnte gegen diese Maduskan nichts ausrichten. Alfreds Großvater hatte Angst vor ihr, und Angst vor ihr hatten auch die anderen im Armenhaus.

»Seht, sie geht wie ein reißender Löwe durch die Schafherde«, sagte Stolle-Jocke immer. Er war etwas wunderlich, der Jocke, und sprach, als lese er aus der Bibel vor, aber er war gutmütig, und Alfred mochte seinen alten Großvater sehr.

Sie, die im Armenhaus lebten, konnten sich fast nie richtig satt essen, und das war eine Not, fand Michels Mama.

»Die Ärmsten, sie müssen doch auch was haben, wenn Weihnachten ist«, sagte sie. Und deshalb sah man einige Tage vor Weihnachten Michel und Ida mit einem großen Korb zwischen sich den verschneiten Weg hinauf zum Armenhaus wandern. In den Korb hatte Michels Mama allerlei gute Sachen gepackt. Da gab es Kostproben von allen Würsten und von der Fleischsülze und dem Schinken und Klößen und Weißbrot

und Pfefferkuchen und Safranstollen und Kerzen und auch eine kleine Dose mit Schnupftabak für Stolle-Jocke.

Nur jemand, der selbst lange hat hungern müssen, kann sich vorstellen, wie froh sie im Armenhaus waren, als Michel und Ida zu ihnen kamen. Am liebsten hätten sie alle sofort angefangen zu essen: Stolle-Jocke und Kalle-Karo und Johann-Ein-Öre und Trödel-Niklas und Lumpen-Fia und Unken-Ulla und die Vibergsche und Salia Amalia und wie sie alle hießen. Aber die Maduskan bestimmte:

»Nicht vor Heiligabend – damit ihr's wisst!«

Und dagegen wagte keiner etwas zu sagen.

Michel und Ida gingen nach Hause, und dann wurde es Heiligabend. Es war schön in Katthult an diesem Tag, und am Tag danach auch. Da fuhren sie alle zur Christmette in die Kirche von Lönneberga, und Michel war richtig glücklich, wie er so im Korbschlitten dahinfuhr, denn Markus und Lukas liefen, dass der Schnee um ihre Hufe wirbelte und sie alle anderen Schlitten weit hinter sich ließen.

Während der ganzen Christmette saß Michel brav und still auf seinem Platz, ja, er benahm sich so gut, dass seine Mama darüber in ihr blaues Schreibheft schrieb:

»Dieser Junge ist eigentlich fromm; in der Kirche macht er nicht den geringsten Unfug.«

Den ganzen ersten Weihnachtstag war Michel genauso friedlich. Er und Ida spielten artig mit ihren Weihnachtsgeschenken, und über Katthult lag der herrlichste Frieden.

Aber dann kam der zweite Weihnachtstag, und Michels Papa und Michels Mama sollten zum Weihnachtsschmaus nach Skorphult fahren. Skorphult war ein Hof am anderen Ende der

Gemeinde. Alle in Lönneberga kannten ja Michel, und deshalb waren die Kinder nicht eingeladen worden.

»Ach, mir macht es nichts«, sagte Michel. »Bloß die Skorphulter können einem leidtun. Die armen Menschen, so lernen sie mich ja nie kennen!«

»Nein, und mich auch nicht«, sagte Klein-Ida.

Nun war natürlich beabsichtigt, dass Lina zu Hause bleiben sollte, um auf die Kinder aufzupassen, aber schon früh am Morgen fing sie an zu heulen und wollte unbedingt ihre Mutter besuchen, die in einer Kate nah bei Skorphult wohnte. Lina hatte sich wohl vorgestellt, wie gut es wäre, im Schlitten mitfahren zu können, wenn er doch sowieso in die Richtung fuhr.

»Ach, ich kann auch auf die Kinder aufpassen«, sagte Alfred. »Zu essen ist ja da, und ich werd schon aufpassen, dass sie keine Streichhölzer oder sonst was anrühren.«

»Sicher, aber du weißt doch, wie es mit Michel ist«, sagte Michels Papa und starrte düster vor sich hin. Aber da sagte Michels Mama:

»Michel ist ein netter kleiner Junge. Er macht keinen Unfug – jedenfalls nicht, wenn Weihnachten ist. Heul nicht, Lina, du darfst mit!«

Und so kam es.

Alfred, Michel und Ida standen am Küchenfenster und sahen den Schlitten den Abhang hinunterfahren, und als er nicht mehr zu sehen war, machte Michel einen zufriedenen Bocksprung.

»Hei! Jetzt werden wir Leben in dieses Haus bringen«, sagte er. Aber plötzlich zeigte Ida mit ihrem dünnen Zeigefinger auf den Weg draußen.

»Guckt mal, da kommt Stolle-Jocke«, sagte sie.

»Ja, wirklich«, sagte Alfred. »Da stimmt doch was nicht!«

Es war nämlich so, dass Stolle-Jocke nicht ausgehen durfte. Er war ja etwas seltsam im Kopf und konnte allein nicht zurechtkommen. Behauptete jedenfalls die Maduskan.

»Er findet weder hierhin noch dorthin«, sagte sie. »Und ich hab keine Zeit, herumzurennen und nach ihm zu suchen, wenn er sich verläuft.«

Aber nach Katthult fand Jocke allemal, und nun kam er den Weg entlang wie ein Häufchen Elend. Die weißen Haare flatterten ihm um die Ohren, und bald stand er schluchzend in der Küchentür.

»Wir haben keine Klöße bekommen!«, sagte er. »Und Wurst auch nicht. Diese Maduskan hat alles genommen.«

Dann brachte er nicht mehr heraus, weil er so weinte.

Da wurde Michel wütend, so furchtbar wütend, dass Alfred und Ida ihn kaum anzusehen wagten. In seine Augen kam etwas Wildes, und er nahm einen Napf aus Porzellan vom Tisch.

»Her mit dieser Maduskan!«, schrie er und schleuderte den

Napf an die Wand, dass die Scherben flogen. »Und gebt mir meine Büsse!« Alfred kriegte richtig Angst.

»Beruhige dich doch erst mal«, sagte er. »Es ist gefährlich, so wütend zu werden.«

Dann streichelte und tröstete Alfred seinen armen Großvater und wollte wissen, warum die Maduskan so etwas Schreckliches getan hatte, aber das Einzige, was Jocke sagen konnte, war: »Wir haben keine Klöße bekommen! Und keine Wurst. Und ich hab ihn nicht bekommen – meinen Schnu-hupf-hupf-tabak.«

Da zeigte Ida auf den Weg draußen.

»Guckt mal, da kommt Unken-Ulla«, sagte sie.

»Um mich nach Hause zu holen«, sagte Jocke und begann am ganzen Körper zu zittern.

Unken-Ulla war eine flinke kleine Armenhaus-Alte, und sie wurde jedes Mal von der Maduskan nach Katthult geschickt, wenn Jocke verschwunden war. Er ging oft nach Katthult – dort fand er ja Alfred und außerdem Michels Mama, die so freundlich war zu allen, die arm waren.

Von Unken-Ulla erfuhren sie dann, wie alles zugegangen war. Das Essen aus Katthult hatte die Maduskan in einen Schrank oben auf dem Dachboden gelegt, dort war es kalt um diese Jahreszeit. Als sie aber Heiligabend die Vorräte hervorholen wollte, fehlte ein kleines elendes Würstchen, und da wurde sie wild und rasend.

»Wie ein reißender Löwe in der Schafherde«, sagte Stolle-Jocke, und Unken-Ulla war seiner Meinung. Hu, wie hatte diese Maduskan ihnen die Hölle heißgemacht um die kleine Wurst und hatte mit aller Gewalt den Sünder herausfinden wollen, der sie gestohlen hatte.

»Denn sonst gibt es hier einen Heiligabend, dass Gottes Engel darüber weinen werden«, hatte sie gesagt. Und es wurde auch so, versicherte Unken-Ulla. Da war nämlich keiner, der eingestehen wollte, dass er das Würstchen genommen hatte, wie sehr die Maduskan auch schrie und tobte. Einige aber glaubten, dass sie sich das nur ausgedacht hätte, um die Leckerbissen für sich allein zu behalten. Wie auch immer – es wurde jedenfalls ein Heiligabend, über den die Engel Gottes wirklich weinen konnten, sagte Unken-Ulla.

Die Maduskan saß den ganzen Tag oben in ihrem Dachbodenzimmer, brennende Kerzen auf dem Tisch, und aß Wurst und Klöße und Schinken und Safranstollen, dass sie beinahe platzte. Unten im Armenhaus aber saßen die anderen und weinten und hatten nur etwas gesalzenen Fisch zu essen, obwohl es Heiligabend war.

Und genauso war es am ersten Weihnachtstag. Die Maduskan schwor mehr als einmal, niemand würde auch nur einen halben Kloß bekommen, bevor der Wurstdieb hervorgekro-

chen käme und gestehen würde. Und während sie darauf wartete, saß sie oben in ihrem Zimmer und aß und aß und sprach
mit niemandem. Unken-Ulla hatte die Maduskan ungefähr
jede Stunde einmal durch das Schlüsselloch beobachtet und
gesehen, wie all die Leckerbissen, die Michels Mama geschickt
hatte, Stück für Stück in ihrem breiten Rachen verschwanden.
Aber jetzt hatte sie wahrscheinlich Angst, dass Stolle-Jocke
nach Katthult gegangen war, um sich dort zu beklagen, denn
sie hatte Unken-Ulla gesagt, dass sie ihn, tot oder lebendig,
auf der Stelle nach Hause schaffen sollte.

»Deshalb ist es wohl besser, wenn wir jetzt gehen, Jocke«,
sagte Unken-Ulla.

»Ja, Großvater«, sagte Alfred, »die Armen sind arm dran!«

Michel sagte nichts. Er saß auf der Holzkiste und knirschte
mit den Zähnen. Noch lange, nachdem Jocke und Unken-Ulla
gegangen waren, saß er da, und man merkte, dass er nachdachte. Schließlich aber schlug er mit der Faust auf die Holzkiste und sagte: »Ich weiß einen, der ein Festmahl geben wird!«

»Wer denn?«, fragte Ida.

Michel schlug noch einmal mit der Faust auf die Kiste.

»Ich!«, sagte er. Und dann erzählte er, wie es werden sollte. Ein Festmahl sollte es werden, dass es nur so krachte, denn nun sollten alle Menschen aus dem Armenhaus von Lönneberga hierher nach Katthult kommen, und zwar auf der Stelle!

»Ja, aber, Michel«, sagte Klein-Ida ängstlich, »bist du sicher, dass das kein Unfug ist?«

Alfred wurde auch ängstlich und glaubte, es sei vielleicht Unfug. Aber Michel versicherte ihm, es sei wirklich keiner. Es sei eine gute Tat, und Gottes Engel würden darüber ebenso in die Hände klatschen, wie sie vorher über das elende Weihnachten im Armenhaus geweint hätten.

»Mama wird sich auch freuen«, sagte Michel.

»Ja, aber Papa …«, sagte Klein-Ida.

»Hm«, machte Michel. »Aber es ist auf keinen Fall Unfug.« Dann schwieg er und dachte wieder nach.

»Aber sie alle aus der Höhle des Löwen zu kriegen, das wird das Schwerste sein«, sagte er. »Kommt, wir gehen hin und versuchen es!«

Zu der Zeit hatte die Maduskan alle Würste, alle Klöße, allen Schinken und die Fleischklöße, dazu den Rest des Safranstollens und die letzten Pfefferkuchen in sich hineingestopft, und sie hatte sorgfältig den Schnupftabak von Stolle-Jocke aufgeschnupft. Nun saß sie in ihrem Zimmer unterm Dach und fühlte sich elend, so wie man sich fühlt, wenn man unrecht getan und außerdem viel zu viele Klöße gegessen hat. Hinunter zu den anderen wollte sie nicht gehen, die seufzten ja nur und glotzten sie an und sprachen kein Wort.

Wie sie so trübsinnig dasaß, hörte sie, dass jemand an die Außentür klopfte. Da hatte sie es eilig, die Treppe runterzukommen, um nachzusehen, wer es war.

Michel war es, der da draußen stand. Michel aus Katthult. Und nun kriegte sie es mit der Angst zu tun. Vielleicht hatte Stolle-Jocke oder Unken-Ulla etwas erzählt, und vielleicht kam Michel deshalb hierher.

Aber der kleine Michel machte nur höflich einen Diener und fragte: »Habe ich vielleicht mein Taschenmesser vergessen, als ich das letzte Mal hier war?«

Denk nur, wie pfiffig er war. Michels Taschenmesser steckte

wohlbehalten in seiner eigenen Hosentasche. Aber er brauchte doch einen Vorwand, um ins Armenhaus zu gelangen, und deshalb hatte er sich diese Frage ausgedacht.

Die Maduskan versicherte, dass sie kein Taschenmesser gesehen hätten. Und dann fragte Michel: »Haben die Würste geschmeckt? Und die Sülze und all das andere?«

Die Maduskan schlug die Augen nieder, starrte auf ihre breiten Füße.

»Aber, aber«, sagte sie rasch. »Ja, die liebe Mutter auf Katthult – sie weiß schon, was der Arme braucht. Grüß sie ganz herzlich!«

Und jetzt sagte Michel das, was er sagen wollte, weshalb er hergekommen war. Er sagte es allerdings so nebenbei, als sei es nichts besonders Wichtiges.

»Mama und Papa sind zum Weihnachtsschmaus auf Skorphult«, sagte er.

Da wurde sie neugierig.

»So, heute ist Schmaus auf Skorphult? Das wusste ich nicht.«

Nein, sonst wärst du schon längst dort, dachte Michel. Er wusste ebenso gut wie alle anderen in Lönneberga, dass die Maduskan bestimmt in der Küchentür stand, sobald irgendwo geschmaust wurde, das war mal sicher. Und man wurde sie nicht eher wieder los, bevor sie nicht wenigstens etwas Käsekuchen bekommen hatte. Für Käsekuchen ging sie durchs Feuer. Und wenn du jemals in Lönneberga bei einem Festessen gewesen bist, dann weißt du genauso gut wie die Maduskan, dass dort auf dem Tisch lange Reihen blinkender Kupferschüsseln mit Käsekuchen standen, den die Gäste als Geschenk überreicht hatten – als »Mitbringsel«, wie es in Lönneberga hieß.

»Siebzehn Käsekuchen«, sagte Michel. »Was sagst du dazu?«
Nun konnte Michel ja unmöglich wissen, ob sie auf Skorphult siebzehn Käsekuchen hatten, und das behauptete er auch
nicht, denn lügen wollte er nicht. Er sagte nur schlau: »Siebzehn Käsekuchen, was soll man dazu sagen?«

»Ja, das möchte ich auch wissen«, sagte die Maduskan.

Dann ging Michel. Jetzt hatte er das Seine getan. Er wusste,
dass die Maduskan sich spätestens in einer halben Stunde auf
den Weg nach Skorphult machen würde.

Und das hatte Michel sich richtig ausgerechnet. Er und Alfred und Klein-Ida lauerten hinter einem Holzstapel und sahen die Maduskan herauskommen, in ihr dickstes Umschlag-
tuch gehüllt und mit dem Bettelsack unter dem Arm: Jetzt
wollte sie nach Skorphult. Aber – kann man sich so eine Hexe
vorstellen? – sie schloss die Tür ab und steckte den Schlüssel
ein! Das hatte sie sich fein ausgedacht! Nun waren die armen
Wesen eingesperrt wie in einem Gefängnis. Und das war der
Maduskan wohl nur recht. Jetzt sollte Stolle-Jocke nur versuchen, wieder auszureißen, er würde schon sehen, wer hier die
Macht hatte und mit wem nicht zu spaßen war!

Und so schnell ihre dicken Beine sie trugen, trabte die Maduskan davon nach Skorphult.

Michel ging hin und rüttelte an der Tür und merkte, wie
gründlich abgeschlossen sie war. Das taten auch Alfred und
Klein-Ida – ja, sie war abgeschlossen, da gab es nichts zu rüt-
teln.

Hinter den Fenstern drängten sich alle Armenhäusler und
starrten erschrocken auf die drei, die draußen standen und
hineinwollten. Michel aber rief:

»Ihr sollt zum Festessen nach Katthult kommen! Wenn wir euch bloß rausholen könnten!«

Im Armenhaus begann es zu summen wie in einem Bienenkorb. Das war einzigartig und wunderbar, zugleich aber war es ein Elend zum Verzweifeln, denn sie waren eingeschlossen und wussten sich keinen Rat, wie sie herauskommen sollten.

Nun sagst du vielleicht: Warum öffneten sie nicht ein Fenster und kletterten hinaus, das konnte doch nicht schwer sein? Man merkt, du hast nie etwas von Innenfenstern gehört. Im Winter konnte man im Armenhaus kein einziges Fenster öffnen – der Innenfenster wegen. Die waren ordentlich festgenagelt und an den Rahmen außerdem mit Papierstreifen verklebt, damit kein Wind durch die Ritzen pfeifen konnte. Aber wie lüftete man dann, fragst du vielleicht? Liebes Kind, wie kannst du so dumm fragen! Wer hat denn gesagt, dass man im Armenhaus lüftete? An solchen Verrücktheiten war niemand interessiert, denn keiner begehrte mehr frische Luft als das bisschen, das durch den Rauchfang oder durch Ritzen in undichten Wänden oder Fußbodendielen eindrang.

Nein, durch die Fenster konnten die Ärmsten nicht heraus!

Ein Fenster, das man öffnen konnte, gab es allerdings, aber das war oben bei der Maduskan im Bodenzimmer, und kein noch so hungriger Armenhäusler machte einen Sprung aus vier Meter Höhe, um zu einem Festessen zu kommen – das wäre ein Sprung geradewegs ins Himmelreich, das war ja klar.

Doch Michel gab wegen solcher Kleinigkeiten nicht auf. Er fand tatsächlich eine Leiter unter dem Holzschuppen versteckt, und die stellte er an das Fenster des Bodenzimmers, das Unken-Ulla schon freudig geöffnet hatte. Alfred kletterte die Leiter hinauf. Er war groß und stark und konnte kleine, schmächtige Armenhäusler tragen wie nichts. Zwar schrien sie Ach und Oh und jammerten, aber herunter kamen sie alle. Nur Salia Amalia nicht. Sie traute sich nicht und wollte nicht. Die Vibergsche versprach aber, ihr so viel vom Festessen mitzubringen, wie sie nur tragen konnte, und damit war Salia Amalia zufrieden.

Wenn nun jemand an diesem Weihnachtstag, gerade als es anfing zu dämmern, den Katthult-Weg entlanggefahren wäre, er hätte sicher geglaubt, eine Reihe grauer Spukgestalten zu sehen, die sich dort hinkend und keuchend den Hügel hi-

nauf nach Katthult bewegten. Sie sahen aber auch wirklich gespenstisch aus in ihren Lumpen, diese armen Alten, aber fröhlich wie Lerchen und munter wie Kinder waren sie. Ach, ach, ach. Es war ja schon so lange her, dass sie auf einem Weihnachtsschmaus gewesen waren! Sie freuten sich, wenn sie an die Maduskan dachten, die bald zurückkommen und ein leeres Armenhaus vorfinden würde, in dem nur ein einziges kümmerliches Wesen war: Salia Amalia.

»Hihi, das geschieht ihr recht«, sagte Johann-Ein-Öre, »hihi, da steht sie dann ohne uns! Soll sie doch merken, wie das ist!«

Darüber lachten alle zufrieden. Als sie aber nachher in die weihnachtliche Küche von Katthult kamen und Michel fünf große Kerzen anzündete, deren Schein sich in den frisch gescheuerten Kupferkesseln an den Wänden spiegelte, sodass alles schimmerte und glänzte, da waren sie zuerst ganz still, und Stolle-Jocke glaubte, er sei schon im Himmel.

»Seht, da sind Lichter und Seligkeiten ohne Grenzen ...«, sagte er und weinte, denn weinen, das tat Stolle-Jocke immer, ganz gleich, ob er nun glücklich war oder traurig.

Aber da sagte Michel:

»Jetzt wird hier aufgefahren!«

Und es wurde aufgefahren. Michel und Alfred und Klein-Ida holten alles, was sie nur schleppen konnten, aus der Speisekammer. Und nun sollst du wissen, was auf dem Küchentisch von Katthult an diesem zweiten Weihnachtstag stand, als sie endlich alles aufgetragen hatten.

Da standen:

eine Schüssel mit Blutklößen,

eine Schüssel mit Schweinswürsten,

eine Schüssel mit Sülze,

eine Schüssel mit Leberpastete,

eine Schüssel mit Knackwürsten,

eine Schüssel mit Fleischklößen,

eine Schüssel mit Kalbskoteletts,

eine Schüssel mit gepökelten Schweinerippchen,

eine Schüssel mit kalter Bratwurst,

eine Schüssel mit frischer Leberwurst,

eine Schüssel mit Heringssalat,

eine Schüssel mit Rauchfleisch,

eine Schüssel mit leicht gesalzener Ochsenzunge,

eine Schüssel mit Rosinengrützwurst,

eine Platte mit dem großen Weihnachtsschinken,

eine Platte mit dem großen Weihnachtskäse,

ein Korb mit Weißbrot,

eine Schüssel mit Sirupbrot,

ein Korb mit feinem Roggenbrot,

eine Kanne Fruchtsaft,

eine Kanne Milch,

eine Schüssel mit Buchweizengrütze,

eine Platte mit Käsekuchen,

eine Schale mit Backpflaumen,

eine Platte mit Apfelkuchen,

eine Schüssel mit Schlagsahne,

eine Schale mit Erdbeerkompott,

eine Schale mit Ingwerbirnen

und

ein kleines, im Ganzen gebratenes Spanferkel,

mit weißem Kandiszucker garniert.

Das war alles, glaube ich. Ich kann nicht mehr als drei, höchstens vier, na ja, sagen wir sicherheitshalber fünf Sachen vergessen haben – sonst aber habe ich alles aufgezählt.

Und da saßen sie um den Tisch, die Armenhäusler aus Lönneberga, sehr geduldig saßen sie da und warteten, aber bei jeder Schüssel, die herbeigetragen wurde, waren sie zu Tränen gerührt.

Schließlich sagte Michel: »Bitte schön, und nun haut rein!«

Wirklich, sie hieben hinein, das taten sie, und so, dass es zu hören war.

Alfred, Michel und Klein-Ida aßen auch. Ida konnte nicht mehr als ein paar Fleischklöße runterbekommen, weil sie angefangen hatte zu denken. Sie fing an, sich zu fragen, ob dies hier nicht doch Unfug war. Ihr fiel plötzlich ein, dass morgen, am dritten Weihnachtstag, die Verwandten aus Ingatorp nach Katthult kommen wollten. Und hier wurde das Festessen von morgen schon heute aufgegessen. Sie hörte, wie es um den Tisch herum knabberte und knackte und schlürfte und schmatzte. Es war, als hätte sich ein Rudel Raubtiere über die Schüsseln und Schalen und Kannen hergemacht. Klein-Ida begriff: So isst nur der, der richtig ausgehungert ist, aber es war trotzdem schrecklich. Sie zog Michel am Ärmel und flüsterte, damit niemand außer ihm es hören konnte:

»Bist du sicher, dass dies hier kein Unfug ist? Denk dran, morgen kommen die aus Ingatorp!«

»Die sind schon dick genug«, sagte Michel ruhig. »Es ist doch wohl besser, das Essen kommt dahin, wo es was nützt.«

Aber danach machte er sich doch ein bisschen Sorgen, denn es sah aus, als würde nicht einmal ein halbes Fleischklößchen

übrig bleiben, wenn dieser Festschmaus vorbei war. Was nicht
in die Münder gestopft wurde, verschwand in Taschen und
Beuteln, und im Nu waren die Schüsseln leer.

»Jetzt hab ich großes Aufräumen mit den Schweinerippchen gemacht«, sagte Kalle-Karo und kaute auf dem letzten
Knochen herum.

»Und ich habe nun großes Aufräumen mit dem Heringssalat gemacht«, sagte Lumpen-Fia.

»Großes Aufräumen« sagten sie, und das bedeutete, dass sie alles verputzt hatten, sodass die Schüsseln jetzt leer waren.

»Nun haben wir großes Aufräumen mit allem gemacht«, sagte Trödel-Niklas zum Schluss, und ein wahreres Wort hatte er nie gesprochen.

Deshalb wurde dieses Festessen später für alle Zeiten »Das große Aufräumen von Katthult« genannt, denn du musst wissen, dass man davon noch lange danach in Lönneberga und den anderen Gemeinden redete.

Nur eins war jetzt noch übrig, und das war das knusprig gebratene Spanferkel. Es stand auf dem Tisch und glotzte wehmütig aus seinen Kandiszuckeraugen.

»Hu, das Schwein sieht aus wie ein kleines Gespenst«, sagte Lumpen-Fia. »An das trau ich mich nicht ran!«

Sie hatte noch nie ein im Ganzen gebratenes Spanferkel gesehen, ebenso wenig wie die anderen. Deshalb hatten sie so etwas wie Respekt vor diesem Ferkel und rührten es nicht an.

»Es ist wohl nicht noch eine kleine Wurst übrig?«, fragte Kalle-Karo, als alle Schüsseln geleert waren. Aber da sagte Michel, dass es auf ganz Katthult in diesem Augenblick nur noch eine einzige Wurst gebe, und die stecke auf einem Stock draußen in seiner Wolfsgrube. Dort solle sie auch bleiben als Köder für den Wolf, auf den er warte. Nein, die konnte Kalle-Karo nicht bekommen und ein anderer auch nicht.

Da stieß die Vibergsche einen Schrei aus.

»Salia Amalia!«, schrie sie. »Die haben wir vergessen!«

Rat suchend blickte sie umher, und ihre Augen blieben an dem Spanferkel hängen.

»Dann kann sie wohl das dort bekommen, die Amalia? Wenn es auch aussieht wie ein Gespenst. Oder was meinst du, Michel?«

»Ja, sie muss es wohl haben«, sagte Michel mit einem Seufzer.

Nun waren sie alle so satt, dass sie sich kaum noch rühren konnten, und es war völlig unmöglich, dass sie sich auf ihren eigenen Beinen ins Armenhaus zurückschleppten.

»Wir müssen wohl den Holzschlitten nehmen«, sagte Michel.

Und so geschah es auch. Sie hatten auf Katthult ein langes und großes Ungetüm von einem Holzschlitten, er wurde als Lastenschlitten benutzt. Auf dem Lastenschlitten konnte man so viele Armenhäusler befördern, wie man wollte, auch wenn sie zufällig etwas dicker waren als sonst.

Es war jetzt Abend, und am Himmel leuchteten die Sterne. Vollmond war auch und überall Neuschnee und mildes, herrliches Wetter, ein schöner Abend für eine Schlittenfahrt. Michel und Alfred halfen allen auf den Schlitten. Ganz vorn saß die Vibergsche mit dem Spanferkel, dann der Reihe nach alle anderen und ganz hinten Klein-Ida und Michel und Alfred.

»Jetzt geht's los!«, schrie Michel.

Und es ging los, die Katthulthügel hinunter, dass der Schnee nur so stob und die Alten auf dem Schlitten vor Freude kreischten, denn es war ja schon lange her, dass sie Schlitten gefahren waren. Oh, wie sie schrien! Nur das Spanferkel vorn stand ganz still zwischen den Händen der Vibergschen und glotzte gespenstisch ins Mondlicht.

Na, aber die Maduskan, was tat die inzwischen?

Ja, davon sollst du hören. Ich wünschte, dass du sie sehen könntest, wie sie von Skorphult, von ihrer Käsekuchentour, zurückkam! Sieh nur, wie sie da ankommt mit ihrem grauen Wolltuch, fett und zufrieden, und wie sie den Schlüssel hervorholt und wie sie ihn ins Schloss steckt – sie gluckst vor Vergnügen, als sie daran denkt, wie bescheiden und zahm sie jetzt sein werden, all die Armen dort drinnen. Jaja, jaja, sie sollen es endlich lernen, wer hier bestimmt: Das ist allemal sie!

Und jetzt dreht sie den Schlüssel herum, jetzt steigt sie über die Schwelle, jetzt ist sie im Hausflur – aber warum ist es so still? Schlafen sie schon? Sitzen sie nur herum und lassen den Kopf hängen? Der Mond scheint durch die Fenster, jede Ecke ist hell – warum sieht sie kein lebendes Wesen? *Deshalb, weil dort niemand ist!* Nein, du Armenschreck, dort ist kein lebendes Wesen!

Die Maduskan beginnt am ganzen Körper zu zittern, sie hat mehr Angst, als sie je in ihrem Leben gehabt hat. Wer kann durch verschlossene Türen gehen? Niemand anders als Gottes Engel im Himmel ... Ja, so muss es sein! Die Armen, die sie um ihre Würste und Klöße und ihren Schnupftabak betrogen hat, die sind von Gottes Engeln an einen besseren Ort gebracht worden, als es das Armenhaus ist. Nur sie haben sie in all dem Jammer und Elend zurückgelassen, ach, ach, ach! Die Maduskan heult wie ein Hund.

Aber da kommt eine Stimme hinten von einem der Betten, wo etwas Kleines, Jämmerliches unter der Decke versteckt ist.

»Was heulst du?«, fragt Salia Amalia.

Wie schnell fasst die Maduskan sich wieder. Und wie schnell hat sie alles aus Salia Amalia herausgepresst. So was kann die Maduskan.

Im Nu ist sie auf dem Weg nach Katthult. Jetzt sollen sie nach Haus, ihre Alten. Schnell und vor allem leise muss es gehen; damit es nicht zu viel Gerede über die ganze Geschichte gibt in Lönneberga.

Katthult liegt so wundervoll im Mondlicht da. Aus dem Küchenfenster sieht sie es leuchten wie von vielen Kerzen. Aber jetzt schämt sie sich plötzlich und traut sich nicht mehr, hineinzugehen. Erst einmal will sie durchs Fenster gucken und nachsehen, ob es wirklich ihre Alten sind, die dort sitzen und schmausen. Aber dazu müsste sie etwas haben, worauf sie steigen kann, eine Kiste oder irgendetwas, sonst reicht sie nicht hinauf.

Sie macht eine kleine Runde zum Tischlerschuppen. Vielleicht findet sie dort etwas.

Und sie findet etwas. Keine Kiste. Sie findet eine Wurst. Kann man sich so etwas vorstellen, mitten im Mondschein, mitten im Schnee findet sie eine kleine Wurst, die auf einen Stecken gespießt ist. Nun ist sie gewiss zum Platzen satt von dem Käsekuchen, aber sie weiß auch, wie schnell man wieder hungrig wird, und eine ganze Wurst dort stecken und verderben lassen, das wäre doch verrückt, denkt die Maduskan. Und sie tut einen Schritt, einen einzigen großen Schritt.

So fing man in früheren Zeiten in Småland Wölfe.

Gerade in dem Augenblick, gerade als die Maduskan in die Wolfsgrube fiel, war der Festschmaus von Katthult zu Ende, und alle Armenhäusler kamen heraus und setzten sich in den Schlitten, um nach Hause zu fahren. Aus der Wolfsgrube war kein Laut zu hören, denn die Maduskan wollte nicht gleich um Hilfe schreien. Sie glaubte wohl, sie könnte ohne Hilfe herausklettern, und deshalb schwieg sie.

Und ihre Armenhäusler fuhren also in rasender Fahrt die Hügel hinunter heim zum Armenhaus und fanden – merkwür-

dig genug – die Tür offen, und sie gingen hinein und wankten sofort in ihre Betten, am Ende ihrer Kräfte vom Essen und vom Schlittenfahren, aber glücklicher, als sie seit vielen Jahren gewesen waren.

Michel, Alfred und Klein-Ida kehrten im Schein des Mondes und im Licht der Sterne nach Katthult zurück. Michel und Alfred zogen den Schlitten. Ida durfte auf dem Schlitten sitzen und die Hügel hinauffahren, weil sie ja noch so klein war.

Wenn du jemals mit deinem Schlitten auf einem solchen winterlichen Weg in der Lönnebergagegend an einem mondhellen Abend unterwegs gewesen bist, dann weißt du, wie merkwürdig still es ist, fast als läge die ganze Welt im Schlaf. Und dann kannst du dir vielleicht vorstellen, wie entsetzlich es ist, wenn durch diese Stille plötzlich ein grässlicher Schrei klingt. Da kamen nun Michel, Alfred und Ida, nichts Böses ahnend, die letzte Steigung mit ihrem Schlitten herauf und hörten plötzlich von Michels Wolfsgrube her ein Schreien, das jedem das Blut in den Adern hätte erstarren lassen. Klein-Ida wurde bleich, und in diesem Augenblick sehnte sie sich sehr nach ihrer Mama. Michel aber nicht! Er machte vor Freude einen Luftsprung.

»Ein Wolf ist in meiner Grube!«, schrie er. »Oh, wo habe ich meine Büsse?«

Das Schreien wurde schlimmer und schlimmer, je näher sie kamen. Es hallte wider rund um ganz Katthult, dass man hätte glauben können, der Wald sei voller Wölfe, die auf den Klageruf des gefangenen Wolfes antworteten.

Aber Alfred sagte: »Der Wolf klingt aber komisch! Hör mal!« Sie standen still im Mondlicht und lauschten auf das fürchterliche Geheul des Wolfes.

»Hilfe, Hilfe, Hilfe!«, jaulte er.

In Michels Augen leuchtete es auf.

»Ein Werwolf«, schrie er. »Aber eigentlich glaub ich nicht, dass es ein Werwolf ist!«

Mit ein paar Sätzen war er vor den anderen an der Grube. Da sah er, was für einen Wolf er gefangen hatte. Überhaupt keinen Werwolf, sondern nur die elendige Maduskan! Michel wurde rasend – was hatte die in seiner Grube zu suchen! Er wollte doch einen *richtigen* Wolf fangen. Aber dann dachte er nach. Vielleicht hatte es doch einen Sinn, dass die Maduskan in seine Wolfsgrube gefallen war. Er überlegte, ob man sie nicht vielleicht ein bisschen zähmen könnte, damit sie etwas freundlicher wurde und nicht mehr so bösartig war. Ja, er dachte daran, ob man ihr nicht reinweg Flötentöne beibringen sollte. Denn das brauchte die Maduskan. Deshalb schrie er zu Alfred und Ida hinüber:

»Kommt her! Kommt, hier kriegt ihr ein hässliches, zottiges Biest zu sehen!«

Und dann standen sie alle drei an der Grube und sahen hi-

nunter auf die Maduskan, die in ihrem grauen Wolltuch beinah aussah wie ein Wolf.

»Bist du sicher, dass das ein Werwolf ist?«, fragte Klein-Ida mit zitternder Stimme.

»Das kannst du glauben«, sagte Michel. »Ein boshaftes altes Werwolfweib ist es, und das sind die gefährlichsten, die es gibt.«

»Ja, denn die sind so gierig«, sagte Alfred.

»Klar, sieh dir diese nur an«, sagte Michel. »Die hat in ihrem Leben schon viel verschlungen. Aber nun ist Schluss damit. Alfred, gib mir meine Büsse!«

»Aber, aber, kleiner Michel, siehst du denn nicht, wer ich bin?«, schrie die Maduskan, denn sie bekam Angst um ihr Leben, als Michel von seiner Büsse sprach. Sie wusste ja nicht, dass es nur ein Spielzeuggewehr war, das Alfred ihm geschnitzt hatte.

»Alfred, hast *du* gehört, was der Werwolf gesagt hat?«, fragte Michel. »Ich hab nichts gehört!«

Alfred schüttelte den Kopf.

»Nee, ich auch nicht.«

»Und außerdem kümmere ich mich auch gar nicht darum«, sagte Michel. »Gib mir meine Büsse, Alfred!«

Da schrie die Maduskan ganz verzweifelt: »Erkennt ihr denn nicht eine alte Bekannte?«

»Was sagt sie?«, rief Michel. »Fragt sie nach ihrer Tante?«

»Ja, aber die haben wir doch nicht gesehen«, sagte Alfred.

»Nein, und ihre Großtante zum Glück auch nicht«, sagte Michel. »Sonst hätten wir ja bald die Grube voll mit alten Werwölfen. Gib mir meine Büsse, Alfred!«

Da fing die Maduskan laut an zu heulen.

»Jetzt seid ihr gemein«, schluchzte sie. »Was habt ihr denn bloß?«

»Was sagt sie?«, fragte Michel. »Sie will einen Kloß?«

»Ja, den will sie«, sagte Alfred. »Wir haben aber keinen.«

»Nein, in ganz Småland gibt's nicht einen einzigen Kloß mehr«, sagte Michel. »Die hat doch alle die Maduskan verschlungen.«

Jetzt jaulte sie noch ärger als vorher, denn sie hatte nun begriffen, dass Michel wusste, wie schlecht sie sich gegenüber Stolle-Jocke und den anderen Armen verhalten hatte. Sie heulte so, dass Michel Mitleid mit ihr hatte, denn er besaß ja ein gutes Herz, der Junge. Wenn es aber besser werden sollte im Armenhaus, dann durfte man diese Maduskan nicht so leicht davonkommen lassen, und deshalb sagte er:

»Hör mal, Alfred, wenn man diesen Werwolf genauer anguckt – glaubst du nicht, dass er der Maduskan aus dem Armenhaus irgendwie ähnlich sieht?«

»Igitt, nee«, sagte Alfred. »Die ist doch wohl schlimmer als alle Werwölfe in ganz Småland.«

»Ja, das ist klar«, sagte Michel. »Sicher sind Werwölfe süße kleine Schoßhündchen im Vergleich zur Maduskan. Denn die gönnt keinem etwas. Ich frag mich übrigens, wer das kleine Würstchen aus dem Schrank gestohlen hat.«

»Das war ich«, schrie die Maduskan. »Das war *ich*! Ich gestehe alles, wenn ihr mir nur hier raushelft!«

Da sahen Michel und Alfred einander an und lächelten.

»Alfred«, sagte Michel, »hast du denn keine Augen im Kopf? Siehst du nicht, dass das die Maduskan ist und *kein* Werwolf?«

»Donnerwetter!«, sagte Alfred. »Wie konnten wir uns so irren?«

»Ja, das versteh ich auch nicht«, sagte Michel. »Klar sehen sie sich ähnlich, das schon, aber ein Werwolf trägt doch kein Tuch, soviel ich weiß.«

»Nee, sicher nicht! Aber Schnurrhaare haben Wölfe auch – oder?«

»Pfui, Alfred, nun musst du aber nett zu der Maduskan sein«, sagte Michel. »Hol eine Leiter!«

Sie bekam also eine Leiter in die Grube, und sie kletterte laut heulend hinaus. Dann rannte sie los, dass es nur so um sie pfiff, denn jetzt wollte sie weg von Katthult, für alle Zeiten. Niemals mehr wollte sie dort auch nur einen Fuß hinsetzen. Aber bevor sie hinter der Wegbiegung verschwand, drehte sie sich um und rief:

»Ja, ich hab die Wurst genommen! Gott verzeih mir, aber Heiligabend hatte ich es vergessen. Ich schwöre, dass ich es vergessen hatte.«

»Dann war's ja gut, dass sie hier ein Weilchen sitzen durfte, damit es ihr wieder einfiel«, sagte Michel. »Auf jeden Fall sind Wolfsgruben gar nicht so schlecht.«

Die Maduskan aber flitzte, so schnell ihre fetten Beine sie tragen konnten, den Hügel hinunter. Und sie war ziemlich außer Atem, als sie beim Armenhaus ankam. Nun schliefen sie alle in ihren verlausten Betten, alle ihre Armen, und sie wollte sie um nichts in der Welt wecken. Deshalb schlich sie sich leise wie ein Geist hinein, so leise war sie noch nie geschlichen.

Da lagen sie in guter Ruh, ihre Armen. Sie zählte sie wie Schafe. Stolle-Jocke und Kalle-Karo, Johann-Ein-Öre und

Trödel-Niklas, Lumpen-Fia und Unken-Ulla, die Vibergsche und Salia Amalia, alle waren sie da, das sah sie. Aber plötzlich sah sie noch etwas. Auf dem Tisch neben Salia Amalias Bett – oh Schreck, oh Graus –, da stand ein *Gespenst*! Ja, bestimmt war das ein Gespenst, wenn es auch aussah wie ein Schwein – ein kleines gruseliges Mondscheinschwein. Oder vielleicht war es sogar ein Werwolf, der dort stand und sie mit seinen schrecklichen weißen Augen anglotzte.

So viele Schrecken an ein und demselben Tag, das war zu viel für die Maduskan. Mit einem Seufzer plumpste sie zu Boden. Da lag sie und erwachte nicht eher wieder zum Leben, als bis die Sonne durch die Fenster des Armenhauses schien, und das war am dritten Weihnachtstag.

Am dritten Weihnachtstag, ja, das war der Tag, an dem die

Verwandten aus Ingatorp zum Festessen nach Katthult kommen würden, ach, ach, ach, was sollte das nur für ein Festessen werden? Na ja, es gab immerhin im Vorratshaus frisch eingelegtes Schweinefleisch im Salzfass, und Schweinebraten mit Kartoffeln und Zwiebelsoße konnte man notfalls auch einem König vorsetzen.

Als aber Michels Mama an diesem Abend in ihr blaues Schreibheft schrieb, da war sie traurig – das muss zugegeben werden –, und die Seite zeigt heute noch Flecken, als ob jemand darüber geweint hätte.

»27. Dezember, abends, in meiner Not«, stand da als Überschrift. Und dann: »Heute hat es den ganzen Tag im Tischlerschuppen gesessen, das arme Kind. Sicher ist er eigentlich fromm, der Junge, obwohl ich manchmal glaube, er ist zu verrückt.«

Das Leben auf Katthult aber ging weiter. Bald war der Winter vorbei, und es wurde Frühling. Michel saß oft im Tischlerschuppen, und wenn er das nicht tat, spielte er mit Ida oder ritt auf Lukas oder kutschierte den Milchwagen, ärgerte Lina und redete mit Alfred und stellte immer wieder neuen Unfug an, der sein Leben – vom Morgen bis zum Abend – reich und abwechslungsreich machte. Zu Beginn des Monats Mai hatte er nicht weniger als hundertfünfundzwanzig Holzmännchen auf dem Regal im Tischlerschuppen stehen, dieser tüchtige Junge!

Alfred machte keinen Unfug, aber er hatte trotzdem Sorgen, denn er hatte sich noch immer nicht getraut, es Lina zu sagen, dass er sie nicht heiraten wollte.

»Es ist wohl besser, ich mach das«, sagte Michel, aber davon wollte Alfred nichts wissen.

»Ich hab dir doch erklärt, das muss schonend beigebracht werden, damit sie nicht traurig wird.«

Alfred war eine gute Seele, aber er wusste sich keinen Rat, wie er es Lina beibringen sollte. Doch an einem Samstagabend Anfang Mai, als Lina auf der Treppe vor der Knechtshütte saß und beharrlich darauf wartete, dass er kommen würde, um schön mit ihr zu tun – da beschloss Alfred, dass es geschehen sollte. Und er beugte sich aus dem Fenster und rief ihr zu: »Hör mal, Lina! Da ist eine Sache, die ich dir schon lange sagen wollte!«

Lina kicherte. Nun kam sicher was, was sie gern hören wollte.

»Was denn, mein lieber Alfred?«, rief sie zurück. »Was willst du mir sagen?«

»Ja, die Heiraterei, von der wir gesprochen haben – hörst du, die lassen wir sein. Das ist Schiet!«

So sagte er – armer Alfred! Es ist schrecklich, das berichten zu müssen. Ich hätte es eigentlich auch nicht tun sollen, denn ich will dir ja nicht mehr hässliche Wörter beibringen, als du schon kennst. Aber du musst bedenken, dass Alfred nur ein

armer Knecht in Lönneberga war, und das bist du nicht. Er konnte sich nicht feiner ausdrücken, obwohl er doch so lange darüber gegrübelt hatte, der arme Alfred.

Lina wurde übrigens nicht traurig.

»Denkst du, wie?«, sagte sie. »Na, das wirst du schon noch sehen!«

Und in diesem Augenblick begriff Alfred, dass er wohl nie von Lina loskäme. Nur an diesem Abend wollte er dennoch frei und glücklich sein. Deshalb ging er mit Michel zum Katthultsee hinunter und angelte Barsche.

Es war ein Abend, so schön, wie er fast nur in Småland sein kann. Alle Kirschbäume auf Katthult blühten, die Amseln sangen, die Mücken schwirrten, und die Barsche bissen an. Dort saßen sie, Michel und Alfred, und sahen ihre Korken auf dem blanken Wasser auf und nieder schaukeln. Sie sprachen nicht viel, aber sie fühlten sich wohl. Bis die Sonne unterging, saßen sie dort, und dann gingen sie heim. Alfred trug die Barsche, und Michel spielte auf einer Weidenflöte, die Alfred ihm geschnitzt hatte. Über die Wiese gingen sie, über einen Pfad, der sich unter frühlingsgrünen Birken entlangschlängelte. Michel blies auf seiner Flöte, dass die Amseln staunten; aber plötzlich hörte er auf zu blasen und nahm die Flöte aus dem Mund.

»Weißt du, was ich morgen machen werde?«, fragte er.

»Nee«, sagte Alfred. »Irgendeinen Unfug?«

Michel steckte die Flöte wieder in den Mund und fing an zu spielen. Da ging er und blies eine Weile und dachte scharf nach.

»Ich weiß nicht«, sagte er schließlich. »Ich weiß das nie vor nachher.«

Michel bringt die Welt
in Ordnung

I n ganz Lönneberga und ganz Småland und ganz Schweden und – wer weiß – vielleicht auf der ganzen Welt hat es noch nie einen Jungen gegeben, der mehr Unfug gemacht hat als dieser Michel, der einmal vor langer Zeit auf Katthult in der Gemeinde Lönneberga in Småland lebte. Dass dieser Junge Gemeinderatspräsident wurde, als er groß war, gehört zu den Wundern dieser Welt. Aber er wurde wirklich Gemeinderatspräsident und der beste Mann in ganz Lönneberga. Da sieht man, dass die allerschlimmsten kleinen Kinder heranwachsen und mit der Zeit richtig gut werden können. Ich finde, es ist schön, darüber nachzudenken. Findest du das nicht auch? Ja, denn du hast wohl auch eine Menge Unfug gemacht, wie ich mir denken kann. Ach so, nicht? Konnte ich mich so irren?

Alma Svensson auf Katthult – sie war Michels Mama – schrieb alle seine Streiche in blauen Schreibheften auf, die sie in einem Schubfach ihrer Kommode versteckte. Schließlich war die Schublade mit Schreibheften so vollgestopft, dass man sie kaum herausziehen konnte. Immer war da ein Heft, das verknitterte und sich quer legte. Aber noch heute sind sie dort aufbewahrt, in derselben alten Kommode, diese blauen

Schreibhefte. Bis auf drei Hefte, die Michel einmal, als er Geld brauchte, der Lehrerin in der Sonntagsschule verkaufen wollte. Als sie die Hefte nicht kaufen wollte, machte er Papierschiffchen daraus und ließ sie auf dem Katthultbach segeln, und danach hat keiner mehr etwas von ihnen gesehen.

Die Lehrerin in der Sonntagsschule begriff nicht, warum sie Michel diese Schreibhefte abkaufen sollte.

»Was soll ich damit?«, sagte sie erstaunt.

»Den Kindern beibringen, dass sie nicht genauso schrecklich werden wie ich«, sagte Michel.

Ja, ja, Michel wusste selbst, was für ein Früchtchen er war, und wenn er das einmal vergessen sollte, dann gab es immer noch Lina, die Magd auf Katthult war, die konnte ihn daran erinnern.

»Es lohnt sich nicht, dich zur Sonntagsschule zu schicken«, sagte sie, »bei dir ist sowieso Hopfen und Malz verloren, und du kommst ja doch nie in den Himmel ... außer – es könnte ja sein – die da oben brauchen Hilfe fürs Gewitter!«

Lina fand, dass es immer dort, wo Michel war, Donner und Krach gab.

»So einen Bengel wie den hab ich noch nie gesehn«, sagte sie, und dann nahm sie die kleine Ida, Michels Schwester, mit auf die Weide, wo die kleine Ida wilde Erdbeeren pflücken durfte, während Lina die Katthultkühe melkte. Ida zog die Erdbeeren auf Halme und kam mit fünf vollen Halmen nach Haus, und Michel luchste ihr nur zwei Halme ab – so anständig war er jedenfalls.

Und du musst nicht glauben, dass Michel etwa Lust hatte, mit Lina und Ida auf die Weide zu den Kühen zu gehen. Nein, er wollte mehr erleben, und deshalb schnappte er sich seine Müsse und seine Büsse und lief schnurstracks zur Pferdekoppel und warf sich auf Lukas und sprengte durch die Haselsträucher, dass die Grasbüschel nur so stoben. Michel spielte »Smålands Husaren greifen an«. Er hatte davon ein Bild in der Zeitung gesehen und wusste, wie das gemacht wurde.

Die Müsse und die Büsse und Lukas – das war wohl das Liebste, was Michel auf dieser Welt hatte. Lukas war sein Pferd, ja, es war wirklich sein Pferd. Er hatte es selbst erworben durch seine Tüchtigkeit auf dem Markt in Vimmerby. Die Müsse war eine kleine, hässliche blaue Schirmmütze, die ihm sein Papa gekauft hatte. Die Büsse war ein Gewehr aus Holz, und Alfred, der Knecht auf Katthult, hatte sie für ihn geschnitzt, weil er Michel sogern hatte. Michel hätte sich seine Büchse sonst auch gut selbst schnitzen können. Wenn es jemanden gab, der tüchtig im Holzschnitzen war, dann war das Michel. Aber er übte auch fleißig! Es war nämlich so, dass Michel jedes Mal, wenn er Unfug gemacht hatte, in den Tisch-

lerschuppen gesperrt wurde, und dort schnitzte er sich immer ein kleines lustiges Holzmännchen. So wurden es schließlich dreihundertneunundsechzig Männchen, die es alle noch heute gibt – bis auf eins, das seine Mama hinter den Johannisbeerbüschen vergrub, weil es dem Pastor so ähnlich war. »Auf diese Weise kann man den Pastor nicht darstellen«, sagte Michels Mama.

Ja, nun weißt du so ungefähr, wie Michel war. Du weißt, dass er das ganze Jahr über Unfug machte, im Sommer wie im Winter, und ich, die ich alle Schreibhefte gelesen habe, werde nun von einigen Tagen aus Michels Leben erzählen. Du wirst merken, dass Michel auch eine ganze Menge Gutes getan hat. Man muss gerecht sein und auch so etwas erwähnen und nicht nur seine fürchterlichen Streiche. Alle waren übrigens nicht fürchterlich, er machte auch eine Menge ziemlich unschuldigen Kleinunfug, und eigentlich war es nur der 3. No-

vember, an dem es einfach total verrückt wurde … Oh nein, versuch nicht, mich dazu zu bringen, zu erzählen, was Michel am 3. November gemacht hat; denn das sage ich niemals, das habe ich seiner Mama versprochen. Nein, zur Abwechslung nehmen wir einen Tag, an dem sich Michel, im Großen und Ganzen gesehen, richtig gut benahm – wenn auch sein Papa vielleicht eine andere Meinung darüber hatte. Es war

Samstag, der 12. Juni,

als Michel einige geglückte Wahnsinnsgeschäfte auf der Auktion auf Backhorva machte

An einem Samstag im Juni war Auktion auf Backhorva, und alle Menschen wollten dorthin, denn Auktionen waren das Lustigste, was man in Lönneberga und ganz Småland kannte. Michels Papa, Anton Svensson, musste natürlich hin, Alfred und Lina hatten gebeten, auch mitkommen zu dürfen, und dann natürlich Michel.

Wenn du jemals auf einer Auktion gewesen bist, dann weißt du, was man dort erleben kann. Du weißt, wenn Leute ihren Krimskrams verkaufen wollen, machen sie eine Auktion, damit andere Leute dorthin kommen, die Krimskrams kaufen wollen.

Die Backhorva-Leute wollten alles verkaufen, was sie besaßen; denn sie wollten nach Amerika auswandern wie so viele zu jener Zeit. Und dorthin konnten sie ihre Küchenbänke und Bratpfannen und Kühe und Schweine und Hühner nicht mitnehmen, und deshalb fand im Frühsommer eine Auktion auf Backhorva statt.

Michels Papa hoffte, billig an eine Kuh zu kommen und vielleicht auch an eine Sau und ein paar Hühner. Deshalb wollte er nach Backhorva, und deshalb durften Alfred und Lina mit, denn er brauchte doch Hilfe, um die Tiere, die er kaufen wollte, nach Hause zu schaffen.

»Aber was Michel dabei soll, das begreife ich nicht«, sagte Michels Papa.

»Nee, da gibt es sowieso genug Krach«, sagte Lina, »auch ohne dass wir extra noch Michel mitnehmen.«

Lina wusste schon, wie viel Krach und Schlägereien es auf den Auktionen in Lönneberga und in ganz Småland gab, und hatte eigentlich recht. Aber Michels Mama sah Lina streng an und sagte:

»Wenn Michel mitwill zur Auktion, dann *soll* er mit. Darüber mach du dir keine Sorgen. Denk du lieber ein wenig daran, wie du dich aufführst und albern bist, wenn du unter Leute kommst!«

Das saß, und Lina schwieg.

Michel setzte sich seine Müsse auf und machte sich fertig – er wollte weg.

»Kauft mir was«, sagte Klein-Ida und legte den Kopf schmeichelnd auf die Seite.

Sie sagte das nicht zu jemand Bestimmtem, sondern nur gerade in die Luft hinein. Ihr Papa aber zog sofort die Augenbrauen hoch.

»Kaufen und kaufen, ich hör nie etwas anderes! Hab ich dir nicht erst neulich für zehn Öre Hustenbonbons gekauft? Zu deinem Geburtstag im Januar, hast du das vergessen?«

Michel wollte seinen Papa gerade um etwas Geld bitten, denn man kann ja nicht ohne ein Öre in der Tasche auf eine Auktion gehen, aber er ließ es. Dies war jetzt nicht der richtige Augenblick, seinem Papa Geld abzuknöpfen – das war ihm klar. Jetzt nicht, wo sie es so eilig hatten und Papa schon auf dem großen Milchwagen saß, bereit, abzufahren. Aber was man nicht auf diese Weise bekommen kann, das muss man sich auf andere Weise besorgen, dachte Michel. Er dachte scharf nach und sagte dann:

»Fahrt nur voraus! Ich komme auf Lukas nach!«

Michels Papa wurde ziemlich misstrauisch, als er das hörte, aber er wollte so schnell wie möglich weg und sagte deshalb nur:

»Ja, ja! Das Beste wäre, wenn du ganz zu Hause bleiben würdest!«

Dann knallte er mit der Peitsche, und es ging los. Alfred winkte Michel zu, und Lina winkte Klein-Ida zu, und Michels Mama rief Michels Papa nach:

»Pass auf, dass ihr Arme und Beine beieinanderhabt, wenn ihr wieder heimkommt!«

Das sagte sie, weil auch sie wusste, wie wild es manchmal auf den Auktionen zugehen konnte.

Der Milchwagen verschwand hinter einer Wegbiegung. Michel stand in einer Staubwolke und sah ihm nach. Dann aber hatte er es eilig – jetzt musste Geld beschafft werden. Und wie, glaubst du, sollte das geschehen?

Wenn du auch ein Kind in Småland gewesen wärst, als Michel klein war, dann würdest du wissen, wie gesegnet viele Gatter es zu jener Zeit überall auf den Wegen gab. Sie waren da, damit alle småländischen Ochsen und Kühe und Schafe auf ihren eigenen Weiden blieben, und vielleicht auch, damit sich alle småländischen Jungen ab und zu ein Zweiörestück verdienen konnten, wenn sie das Gatter für einen faulen Bauern öffneten, der auf seinem Pferdefuhrwerk des Weges kam und selbst nicht abspringen und öffnen wollte.

Bei Katthult gab es auch ein Gatter. Dort hätte Michel aber nicht viele Zweiörestücke verdient, denn Katthult lag ganz am Ende der Gemeinde, und dorthin fuhr selten jemand. Nur ein Hof lag hinter Katthult, und das war Backhorva, und gerade dort sollte heute Auktion sein.

Was bedeutet, dass jeder, der dahin will, durch unser Gatter muss, dachte Michel, dieser pfiffige Junge.

Eine ganze Stunde lang hielt Michel Gatterwache, und er verdiente dabei fünf Kronen und vierundsiebzig Öre. Kaum zu glauben!

Die Pferdefuhrwerke kamen in einem so dichten Strom, dass er es kaum schaffte, hinter einem das Gatter zu schließen, bevor er es für den Nächsten wieder öffnen musste. Und alle Bauern, die hindurchfuhren, hatten gute Laune, weil sie

doch zur Auktion wollten, und warfen bereitwillig Zweiörestücke und Fünförestücke in Michels Mütze hinunter. Einige
vornehme Herren waren sogar so in Schwung, dass sie ihm ein
ganzes Zehnörestück gaben, wenn sie es natürlich auch bald
danach bereuten.

Aber der Bauer von Krakstorp wurde wütend, als Michel
das Gatter seinem braunen Gaul vor der Nase zuschlug.

»Warum machst du das Gatter zu?«, schrie er.

»Ich muss es doch erst zumachen, damit ich es dann wieder
aufmachen kann«, erklärte Michel.

»Warum lässt du das Gatter an einem Tag wie heute nicht
offen?«, fragte der Bauer wütend.

»Ich bin doch nicht verrückt«, sagte Michel. »Heute, wo mir
dieses alte Gatter zum ersten Mal ein bisschen nützt!«

Aber der Krakstorper schlug mit seiner Peitsche nach Michel und gab ihm nicht das kleinste Öre.

Als alle, die zur Auktion wollten, durch Michels Gatter gefahren waren und es dort kein Geld mehr zu verdienen gab, warf Michel sich auf Lukas und preschte los, dass die Geldstücke in seiner Hosentasche klirrten und schepperten.

Die Auktion auf Backhorva war bereits in vollem Gang. Die Leute drängten sich um den Kram, der auf dem Hofplatz aufgereiht stand und im hellen Sonnenschein aussah, als hätte er sich verirrt. Auf einer Tonne mitten im Gewühl stand der Auktionator. Er bekam viele gute Angebote für Bratpfannen und Kaffeetassen und alte Holzstühle und ich weiß nicht was alles. Auf einer Auktion, musst du wissen, ruft man dem Auktionator zu, wie viel man für eine Sache bezahlen will. Aber wenn dann einer da ist, der mehr bezahlen will und höher bietet, so bekommt er die Küchenbank oder was es auch ist, um das man gekämpft hat.

Es ging wie ein Rauschen durch die Menge, als Michel und Lukas auf den Hofplatz sprengten, und es waren viele, die murmelten:

»Wenn der Katthultjunge kommt, ist es wohl besser, gleich nach Hause zu fahren!«

Aber jetzt war Michel auf Geschäfte aus, und Geld hatte er so viel, dass ihm fast schwindlig davon wurde. Bevor er noch von seinem Pferd herunterkam, bot er auch schon drei Kronen für ein altes eisernes Bettgestell, das er um nichts in der Welt hätte haben wollen. Glücklicherweise bot eine Bauersfrau vier, sodass Michel das Bettgestell wieder los war. Aber munter machte er weiter und bot für fast alles, und schwups, war er der Besitzer von drei Sachen. Das Erste war ein ausgeblichenes Samtkästchen mit kleinen blauen Schneckenhäusern auf dem Deckel – das wäre ja was für Klein-Ida –, das Zweite war ein Brotschieber an einem langen Stiel, mit dem man die Brotlaibe in den Ofen schiebt, und das Dritte war eine alte verrostete Feuerspritze, für die in ganz Lönneberga keiner auch nur zehn Öre bieten wollte. Michel bot fünfundzwanzig und bekam sie.

Oh, Hilfe, die wollte ich ja eigentlich nicht haben, dachte Michel. Aber nun war es passiert, jetzt hatte er eine Feuerspritze, ob er wollte oder nicht.

Da kam Alfred, guckte sich die Spritze an und lachte.

»Feuerspritzenbesitzer Michel Svensson«, sagte er. »Wozu willst du dieses Monstrum eigentlich haben?«

»Na, wenn der Blitz einschlägt oder wenn es brennt –«, sagte Michel. Und in dieser Sekunde *schlug* der Blitz ein – jedenfalls dachte Michel das zuerst, aber es war nur sein Papa, der ihn am Kragen packte und schüttelte, dass das wollige Haar wehte.

»Lümmel du, was nimmst du dir heraus!«, schrie Michels Papa.

Er war in aller Ruhe bei den Stallungen herumgegangen und hatte eine Kuh für sich ausgesucht, als Lina außer Atem angerannt kam.

»Bauer, Bauer, Michel ist hier und kauft noch und noch Feuerspritzen! Darf er das?«

Dass Michel eigenes Geld hatte, wusste sein Papa ja nicht. Er glaubte, er selbst müsse das, wofür Michel geboten hatte, bezahlen, und deshalb war es nicht verwunderlich, dass er blass wurde und am ganzen Körper zitterte, als er von Feuerspritzen hörte.

»Lass mich los! Ich bezahle selbst!«, schrie Michel. Schließlich gelang es ihm, seinem Papa zu erklären, wie er zu seinem großen Reichtum gekommen war – nur weil er daheim in Katthult das Gatter geöffnet hatte. Michels Papa musste zugeben, dass Michel sehr tüchtig gewesen war, aber er fand es sehr viel weniger tüchtig, dass er das Geld nun für eine alte Feuerspritze weggeworfen hatte.

»Von solchen Wahnsinnsgeschäften will ich trotzdem nichts wissen«, sagte er streng. Er verlangte nun, alles zu sehen, was Michel bisher ersteigert hatte, und es traf ihn hart, als er es sah: ein altes Samtkästchen, das man zu nichts gebrauchen konnte, einen Brotschieber, wo sie doch zu Hause auf Katthult bereits einen prächtigen hatten – alles zusammen Wahnsinnsgeschäfte! Am schlimmsten war natürlich die Feuerspritze.

»Merk dir, was ich sage! Man soll nur kaufen, was absolut nötig ist«, sagte Michels Papa.

Damit hatte er ja sicherlich recht, aber wie soll man wissen, was nötig ist? Ist Limonade zum Beispiel nötig? Michel glaubte es jedenfalls. Er schlenderte etwas düster herum, nachdem sein Papa ihn dermaßen runtergeputzt hatte, und wie es so geht, fand er in einer Fliederlaube einen Stand, an dem Bier und Limonade verkauft wurde. Die Backhorver, die schon immer ein bisschen unternehmungslustig waren, hatten von der Brauerei in Vimmerby volle Kisten mitgebracht, um an die durstigen Menschen auf der Auktion Erfrischungen zu verkaufen.

Michel hatte erst einmal in seinem Leben Limonade getrunken, und er war selig, als ihm aufging, dass es hier Limonade gab und er selbst die Tasche voller Geld hatte. Stell dir vor, dass zwei so glückliche Umstände gleichsam zusammenstoßen konnten!

Michel bestellte und trank schnell hintereinander drei Limonaden. Aber da schlug der Blitz von Neuem ein. Sein Papa war plötzlich wieder da. Er packte Michel am Kragen und schüttelte ihn so, dass Michel die Limonade in die Nase schoss.

»Lümmel du, wenn du schon mal etwas Geld verdient hast, stehst du hier und trinkst Limonade!«

Aber da wurde Michel rasend und legte los.

»Nein, jetzt werde ich wütend!«, schrie er. »Wenn ich *kein* Geld habe, dann *kann* ich keine Limonade trinken, und wenn ich Geld *habe*, dann *darf* ich keine Limonade trinken! Wann zum Himmeldonnerwetter noch mal *soll* ich denn dann Limonade trinken?«

Michels Papa sah Michel streng an.

»Jetzt bist du wieder reif für den Tischlerschuppen!«

Mehr sagte er nicht, dann verschwand er zu den Stallungen. Und Michel stand verloren da und schämte sich. Er wusste selbst, wie schrecklich er war. Nicht genug damit, dass er gegen seinen Papa aufsässig gewesen war, das Allerschlimmste war, dass er »zum Himmeldonnerwetter noch mal« gesagt hatte, und das war beinahe ein Fluch. Fluchen aber durfte man auf Katthult nicht. Michels Papa war ja Kirchenältester und was weiß ich alles. Michel schämte sich mehrere Minuten, aber dann kaufte er noch eine Limonade, die er Alfred brachte. Sie saßen zusammen an der Wand vom Backhorver Holzschuppen und unterhielten sich, während Alfred die Limonade trank. Etwas Besseres hätte er in seinem ganzen Leben nicht getrunken, sagte er.

»Hast du Lina gesehen?«, fragte Michel.

Alfred zeigte mit dem Daumen, wo Lina war. Sie saß im grünen Gras, an einen Zaun gelehnt, und neben ihr saß der Krakstorp-Bauer, der mit seiner Peitsche nach Michel geschlagen hatte. Man merkte deutlich, dass Lina die Ermahnungen, die sie von zu Hause mitbekommen hatte, vergessen haben musste, denn sie alberte und kicherte herum, wie sie es immer tat, wenn sie unter Leute kam. Man konnte aber auch sehen, dass dem Krakstorper Linas Alberei gefiel, und als Michel das sah, freute er sich.

»Stell dir vor, Alfred, wenn wir Lina mit dem Krakstorper verheiraten könnten«, sagte er voller Hoffnung. »Dann könntest du sie vielleicht loswerden!«

Es war ja so, dass Lina Alfred zum Bräutigam auserkoren hatte, und sie wollte ihn auch heiraten; obwohl Alfred sich

noch immer mit Händen und Füßen dagegen wehrte. Seit Langem war es Alfreds und Michels Sorge, wie sie Alfred von Lina befreien könnten, und nun wurden die beiden munter. Vielleicht brachten sie den Krakstorper dazu, sich Linas anzunehmen! Gewiss, er war alt, fast fünfzig Jahre, und hatte kein einziges Haar mehr auf dem Kopf, aber er hatte einen kleinen Hof, und bestimmt wäre es Lina nur recht, Hausfrau auf Krakstorp zu werden.

»Wir müssen aufpassen, dass niemand die beiden stört«, sagte Michel.

Ihm war klar, dass Lina noch eine ganze Weile kichern und herumalbern musste, bevor der Krakstorper den Verstand verlor und wirklich anbeißen würde.

Hinten bei den Stallungen hatten sie mit der Versteigerung der Tiere angefangen, und Alfred und Michel gingen hin, um zuzusehen.

Michels Papa hatte günstig eine Sau ersteigert, die bald Ferkel bekommen sollte, aber mit den Kühen gab es Ärger. Da war ein Bauer aus Bastefall, der alle sieben haben wollte, und

Michels Papa war gezwungen, auf die Kuh, die er sich ausgesucht hatte, achtzig Kronen zu bieten. Er stöhnte leise, als er die entsetzliche Summe bezahlte, und dann hatte er kein Geld mehr, um noch ein paar Hühner zu kaufen. Der Bastefaller bekam auch die Hühner für sein Gebot, nur eine Henne wollte er nicht nehmen.

»Was soll ich mit einer hinkenden Henne?«, sagte er. »Der könnt ihr den Hals umdrehen.«

Die Henne, die der Bastefaller in den Suppentopf wünschte, hatte sich mal ein Bein gebrochen, das dann schief zusammengewachsen war. Deshalb hinkte die Ärmste so furchtbar. Aber neben Michel stand einer von den Backhorva-Jungen, und der sagte zu Michel:

»Der Mann ist schön dumm, wenn er die Hinke-Lotta nicht nimmt. Sie ist unsere beste Legehenne – weiß ich genau!«

Da schrie Michel mit lauter Stimme:

»Ich biete fünfundzwanzig Öre für Hinke-Lotta!«

Alle lachten. Alle außer Michels Papa, versteht sich. Der kam angerast und packte Michel am Kragen.

»Lümmel du, wie viele Wahnsinnsgeschäfte willst du eigentlich an ein und demselben Tag machen? Das hier kostet dich den doppelten Tischlerschuppen!«

Aber geboten war geboten. Michel hatte fünfundzwanzig Öre gesagt, und dazu musste er stehen. Hinke-Lotta war nun seine Henne, egal was sein Papa davon hielt.

»Nun hab ich jedenfalls zwei Tiere, die mir gehören«, sagte Michel zu Alfred. »Ein Pferd und eine Henne!«

»Ja, ein Pferd und eine hinkende Henne«, sagte Alfred und lachte dabei, aber so freundlich wie immer.

Hinke-Lotta kam in eine Kiste, und Michel stellte sie zu seinen anderen Schätzen beim Holzschuppen. Da hatte er schon die Feuerspritze und den Brotschieber und das Samtkästchen, und da war auch Lukas angebunden. Michel betrachtete seinen ganzen Besitz und war recht zufrieden.

Aber wie war es Lina unterdessen mit dem Krakstorper ergangen? Michel und Alfred machten eine Runde, um das herauszufinden, und stellten befriedigt fest, dass es Lina gut ging. Der Krakstorper hatte sie umgefasst, und Lina lachte und alberte schlimmer als je zuvor. Ab und an gab sie ihm einen Schubs, dass er rückwärts gegen den Zaun flog.

»Das gefällt ihm wohl«, sagte Michel. »Wenn sie ihn nur nicht zu toll schubst!«

Michel und Alfred waren also sehr zufrieden damit, wie Lina sich aufführte. Aber es gab einen anderen, der nicht damit zufrieden war, und das war Bullte aus Bo.

Er war der schlimmste Raufbold und Säufer in ganz Lönneberga, und dass es auf den Auktionen zu wüsten Schlägereien kam, war hauptsächlich die Schuld von Bullte. Meistens war er es, der anfing. Nun musst du wissen, dass ein Bauernknecht damals das ganze Jahr hindurch arbeitete und sich abrackerte und fast nie zu einem Vergnügen rauskam. Deshalb war so eine Auktion ein Riesenspaß für ihn, und dann wollte er sich gern prügeln. Er wusste ja nicht, was er sonst mit all der vielen Kraft anfangen sollte, die plötzlich in ihm aufstieg, wenn er unter Leute kam und wenn er dann noch einige kräftige Schnäpse gekippt hatte. Ja, leider tranken nicht alle nur Limonade. Jedenfalls nicht Bullte aus Bo.

Jetzt sah er also Lina beim Krakstorper sitzen und schäkern, und da sagte Bullte: »Schämst du dich nicht, Lina? Was willst du mit so einem alten, glatzköpfigen Bauernkarnickel! Begreifst du denn nicht, dass der viel zu alt für dich ist?«

So fangen Schlägereien an.

Michel und Alfred standen da und sahen, wie der Krakstorp-Bauer wütend wurde und wie er Lina losließ. Das fehlte noch, musste ausgerechnet Bullte aus Bo daherkommen und alles kaputt machen, was sich Alfred und Michel ausgedacht hatten?

»Bleib sitzen, bleib um Himmels willen sitzen«, rief Michel dem Krakstorper ängstlich zu, »mit Bullte werde ich schon fertig!«

Und dann nahm er den Brotschieber und rammte ihn Bullte hart in den Hintern. Aber das hätte er nicht tun sollen, denn Bullte fuhr herum und packte Michel. Er war so wütend, dass er schielte, und Michel hing in seinen riesigen Händen und glaubte, seine letzte Stunde sei gekommen. Aber da brüllte Alfred:

»Lass den Jungen zufrieden, sonst kannst du deine Knochen

in einem Taschentuch nach Hause tragen. Dafür werd ich sorgen!«

Alfred war auch kräftig und ging keiner Schlägerei aus dem Weg, und es dauerte keine zwei Sekunden, bis er und Bullte zusammenprallten, dass es nur so krachte.

Und das war ungefähr das, worauf alle gewartet hatten.

Wollen wir nicht bald 'ne Prügelei anfangen?, hatten sich schon mehrere Bauernknechte gefragt, und nun kamen sie von allen Seiten angerannt und wollten mitmachen.

Aber Lina fing an zu kreischen.

»Sie schlagen sich meinetwegen«, schrie sie. »Oh, was für ein Drama!«

»Solange ich den Brotschieber habe, gibt es hier kein Drama«, sagte Michel tröstend.

Nun lagen alle Bauernknechte in einem großen Haufen aufeinander und krabbelten herum wie Krebse: Sie rissen und zerrten und schrien und bissen und hämmerten und schlugen und fluchten und juchten, und ganz unten lagen Alfred mit Bullte und dem Krakstorp-Bauern und noch ein paar andere.

Michel hatte Angst, dass sie seinen Alfred vollkommen zerdrücken würden, und so stocherte er mit seinem Brotschieber in dem Knechtshaufen herum und versuchte ihn herauszubekommen. Es war ungefähr wie bei einem Geduldspiel. Aber es gelang ihm nicht, und wo Michel auch stand, immer streckte sich eine wütende Hand heraus und wollte ihn zu Fall bringen und in die Schlägerei hineinziehen.

Aber das wollte Michel nicht. Er sprang auf Lukas' Rücken und setzte an zum Galopp um die Streitenden herum. Und wie er da auf seinem Pferd saß mit wehendem Haar und aufge-

pflanztem Brotschieber, glich er fast einem Ritter, der sich mit erhobener Lanze ins Kampfgetümmel stürzt.

Michel ritt im Kreis um den Knechtshaufen herum und fuhr mit dem Brotschieber hinein, wo er konnte. Er hatte ja jetzt viel mehr Schwung, und es glückte ihm, zumindest die oberste Schicht der Bauernknechte abzuschälen. Aber es kamen immer wieder neue und warfen sich dazu, und sosehr Michel auch mit dem Brotschieber arbeitete, Alfred konnte er nicht befreien.

Alle Frauen und Kinder auf der Auktion weinten und schrien ganz schrecklich, und Michels Papa und andere vernünftige Bauern, die sich für Schlägereien zu gut waren, standen da und sagten nur hilflos:

»Hört doch jetzt auf, Jungs! Es gibt ja noch mehr Auktionen! Spart euch doch dafür noch ein bisschen Blut auf!«

Aber die Bauernknechte waren so in Fahrt, dass sie überhaupt nichts hörten. Sie wollten nur prügeln und prügeln und prügeln.

Michel schleuderte den Brotschieber weg.

»Jetzt, Lina, musst du helfen und nicht nur rumstehen und heulen«, sagte er. »Schließlich ist es dein Bräutigam, der ganz zuunterst liegt!«

Ich hab doch gesagt, dass Michel sehr pfiffig war. Ratet, was er machte! Eine Feuerspritze hatte er ja, und Wasser gab es im Brunnen. Lina stellte er zum Pumpen an, und er kümmerte sich um die Spritze – da schoss das Wasser heraus, dass es eine Wonne war.

Wie ein Schluckauf ging es durch den Haufen Knechte, als der erste kalte Wasserstrahl mit voller Kraft mitten in ihn hineinschoss. Und, glaub mir oder nicht, Michel brauchte nur einige Minuten zu spritzen, da verkümmerte die Schlägerei und hörte auf. Ein Knecht nach dem anderen reckte sein verschwollenes, erstauntes Gesicht aus dem Haufen, und langsam kamen alle wieder auf die Beine.

Das musst du dir merken, wenn du jemals in eine Schlägerei gerätst und sie beenden willst: Kaltes Wasser ist besser als ein Brotschieber. Vergiss das nicht!

Die Knechte waren kein bisschen wütend auf Michel. Jetzt hatten sie all das Wilde aus sich herausgetobt und fanden es sicher gut, dass die Prügelei für diesmal ein Ende hatte.

»Übrigens ist nächste Woche Auktion auf Knashult«, sagte Bullte aus Bo und stopfte sich etwas Moos in die Nasenlöcher, um das Blut zu stillen.

Da ging Michel zum Knashult-Bauern, der auch da war und die Schlägerei gesehen hatte, und verkaufte ihm die Feuerspritze für fünfzig Öre.

»Jetzt hab ich fünfundzwanzig Öre verdient«, sagte Michel zu Alfred, und ungefähr in diesem Augenblick wurde Alfred klar, dass aus Michel, wenn er groß war, vielleicht mal ein gewaltiger Geschäftsmann werden würde.

Die Auktion war jetzt zu Ende, und alle machten sich mit dem Gerümpel, das sie gekauft hatten, auf den Heimweg. Michels Papa wollte auch nach Hause mit seiner Kuh und der Sau. Die Sau wurde auf den Milchwagen geladen. Hinke-Lotta durfte mitfahren, obwohl Michels Papa ihr, wie sie so in ihrer Kiste hockte, einen sauren Blick zuwarf. Rölla, die Kuh, sollte hinterhertrotten. So war es gedacht. Aber niemand hatte Rölla gefragt, was *sie* von der Sache hielt!

Von wilden Stieren hast du sicher schon gehört. Aber weißt du etwas von wilden Kühen? Nein? Dann will ich dir sagen, dass sogar den wildesten Stieren die Knie zittern, und sie rennen los und verstecken sich, wenn eine Kuh richtig wild wird.

Diese Rölla war in ihrem ganzen Leben das freundlichste
und bescheidenste Vieh gewesen, das man sich denken kann.
Aber als nun Alfred und Lina sie auf den Weg nach Katthult
treiben wollten, da riss sie sich mit einem Ruck los und muhte
so abgrundtief, dass alle Leute auf Backhorva entsetzt zusammenfuhren. Vielleicht hatte sie gesehen, wie die Bauernknechte sich prügelten, und dachte, wenn schon Auktion sein
soll, dann aber richtig. Jedenfalls sprang sie jetzt herum, verrückt und wild, und es war lebensgefährlich, in ihre Nähe zu
kommen. Alfred versuchte es zuerst und dann Michels Papa,
aber Rölla setzte ihnen nach mit Augen, die vor Wahnsinn
glühten, mit gesenkten Hörnern und dumpfem Gemuhe, und
beide, Alfred und Michels Papa, mussten wie die Hasen rennen, um sich zu retten. Es kamen noch andere, um zu helfen,

aber Rölla wollte vor ihrem Stall auch nicht einen Bauern sehen – sie machte reinen Tisch.

»Was für ein Drama«, sagte Lina, als sie sah, wie der Backhorver und der Krakstorper und der Bastefaller und der Knashulter und auch Bullte aus Bo um ihr Leben rannten, Rölla auf den Fersen.

Schließlich wurde auch Michels Papa wild und brüllte:

»Achtzig Kronen habe ich für dieses Kuhvieh geblecht! Trotzdem, her mit einem Gewehr, jetzt wird sie abgeschossen!«

Er zitterte, als er das rief, aber dass man an einer verrückten Kuh keine Freude hat, war ihm klar und allen anderen auch. Der Backhorver holte also sein geladenes Gewehr und drückte es Michels Papa in die Hand.

»Es ist besser, du machst es selbst«, sagte er.

Aber da schrie Michel: »Warte ein bisschen!«

Ich sagte ja schon, dass er ein pfiffiger Junge war. Jetzt ging er also zu seinem Papa und sprach zu ihm:

»Wenn du sie doch erschießen willst, dann könntest du sie mir ebenso gut schenken!«

»Was willst du denn mit einer verrückten Kuh?«, fragte Michels Papa. »Wohl Löwen damit jagen, was?«

Aber er wusste ja, dass Michel eine gute Hand für Tiere hatte, und deshalb sagte er, wenn Michel Rölla heim nach Katthult bringen würde, dann sollte sie für alle Zeiten ihm gehören, wie verrückt sie auch sein mochte.

Da ging Michel zum Bastefall-Bauern, der die anderen sechs Kühe gekauft hatte, und sprach so zu ihm:

»Wie viel bekomme ich, wenn ich deine Kühe bis nach Katthult treibe?«

Bastefall lag am anderen Ende der Gemeinde, und sechs Kühe bis dorthin vor sich herzutreiben, machte nicht gerade Spaß. Das wusste der Bastefaller, und deshalb holte er schnell ein Fünfundzwanzigörestück aus der Hosentasche.

»Hier«, sagte er. »Und nun los!«

Ratet, was Michel da tat! Er rannte an Rölla vorbei in den Stall hinein und band die Kühe los, und als er sie an Rölla vorbeitrieb, verstummte sie mitten in einem »Muh!«, schlug die Augen nieder und schämte sich sichtlich über ihre schlechten Manieren von vorhin. Aber was macht eine arme Kuh, wenn sie aus ihrem alten Stall fort soll und einsam dasteht ohne die anderen Kühe, mit denen sie gewohnt war zu leben? Wütend wird sie und traurig! Nur Michel hatte das verstanden.

Jetzt machte sich Rölla, so schnell sie konnte, mit den anderen Kühen auf den Weg, und alle Leute lachten und sagten:

»Dieser Katthultjunge ist wirklich nicht dumm!«

Und Alfred lachte auch.

»Viehbesitzer Michel Svensson«, sagte er. »Jetzt hast du ein Pferd und eine hinkende Henne und eine verrückte Kuh. Gibt es nicht noch mehr, was du haben willst?«

»Doch, mit der Zeit will ich schon noch mehr haben«, sagte Michel ruhig.

Michels Mama stand auf Katthult am Küchenfenster und hielt Ausschau, um ihre Lieben von der Auktion heimkommen zu sehen. Ihre Augen wurden groß, als sie die stattliche Karawane draußen auf dem Weg sah. Zuerst den Milchwagen mit Michels Papa und Alfred und Lina und der Sau und Hinke-Lotta, die vor Freude über ein frisch gelegtes Ei laut gackerte, dann

sieben Kühe in einer langen Reihe und schließlich, auf Lukas reitend, Michel, der mit dem Brotschieber dafür sorgte, dass keine Kuh vom Weg abkam.

Michels Mama rannte hinaus, Klein-Ida auf den Fersen.

»*Sieben* Kühe!«, schrie sie Michels Papa zu. »Wer ist hier verrückt geworden, du oder ich?«

»Nä, de Koh«, murmelte Michels Papa in reinstem Småländisch. Aber es war noch mehr Gemurmel nötig, bevor Michels Mama endlich begriffen hatte, wie alles zusammenhing. Da sah sie Michel liebevoll an.

»Gott segne dich, Michel! Aber wie um alles in der Welt konntest du wissen, dass mein Brotschieber vorhin kaputtgegangen ist, als ich die Brotlaibe in den Ofen schieben wollte?«

Dann schrie sie auf, denn jetzt bemerkte sie Alfreds Nase, und die war doppelt so groß wie sonst.

»Um Himmels willen, wo bist du mit der Nase gewesen?«, fragte Michels Mama.

»Auf der Auktion auf Backhorva«, sagte Alfred. »Und nächsten Samstag geht's mit ihr nach Knashult.«

Lina kletterte düster und verdrossen vom Milchwagen. Was sie anging, so war es vorbei mit all dem Gekicher und Geschäker.

»Wie sauer du aussiehst«, sagte Michels Mama. »Was ist los mit dir?«

»Zahnschmerzen«, sagte Lina kurz. Der Krakstorper hatte ihr ununterbrochen Bonbons angeboten, und deshalb tat jetzt ihr kaputter Backenzahn so weh, dass ihr fast der Schädel platzte.

Aber Zahnschmerzen oder nicht, sie musste auf die Weide, und das sofort, um die Katthultkühe zu melken, denn es war schon lange über die Melkzeit hinaus.

Lange über die Melkzeit hinaus war es auch für Rölla und die anderen Auktionskühe, und sie muhten laut, um daran zu erinnern.

»Ich kann doch nichts dafür, dass der Bastefaller nicht hier ist, um seine alten Kühe zu melken«, sagte Michel und machte sich daran, sie selbst zu melken. Zuerst Rölla und danach die sechs anderen Kühe. Dreißig Liter Milch bekam er zusammen, die seine Mama in den Keller stellte. Bei Gelegenheit wollte sie Käse daraus machen. Es wurde ein großer, prächtiger Käse für Michel, und er hatte lange seine Freude daran. Das Ei aber, das Hinke-Lotta auf der Heimfahrt gelegt hatte, kochte er sofort und stellte es seinem Papa hin, der etwas mürrisch am Küchentisch saß und auf sein Abendbrot wartete.

»Das ist von Hinke-Lotta«, sagte Michel. Dann stellte er noch ein Glas frisch gemolkene Milch vor seinen Papa. »Die ist von Rölla«, sagte er.

Sein Papa aß und trank schweigend, während seine Mama alle ihre Brotlaibe in den Ofen schob.

Lina aber drückte eine glühheiße Kartoffel gegen den schmerzenden Zahn, und da schmerzte er siebenmal schlimmer, genau wie es sein sollte.

»Ja, fühl das nur«, sagte Lina zu dem Zahn. »Wenn du gemein bist, dann kann ich auch gemein sein.«

Alfred lachte.

»War doch nett vom Krakstorper, dir Bonbons zu spendieren«, sagte er. »Den solltest du heiraten, Lina!«

Da schnaufte Lina wütend.

»Den Wackelgreis! Er ist fünfzig Jahre alt, und ich bin erst fünfundzwanzig! Glaubst du, ich will einen Mann haben, der doppelt so alt ist wie ich?«

»Das macht doch nichts«, sagte Michel eifrig. »Kein bisschen macht das aus!«

»Ja, das meinst du«, sagte Lina. »Jetzt geht es ja noch, aber stell dir vor, wenn ich fünfzig bin, dann ist er hundert. Uiuiui, da hätte ich vielleicht Arbeit mit ihm!«

»Du rechnest, wie du Verstand hast, Lina«, sagte Michels Mama und schlug die Ofentür hinter dem letzten Brotlaib zu. »Dies ist wirklich ein großartiger Brotschieber, Michel«, sagte sie dann noch.

Als Michels Papa das Ei aufgegessen und die Milch ausgetrunken hatte, sagte Michel:

»Ja, und nun der Tischlerschuppen!«

Michels Papa murmelte etwas, dass Michel – alles in allem – an diesem Tag kaum was angestellt habe, weshalb er im Tischlerschuppen sitzen müsste. Aber da sagte Michel:

»Nein, nein, gesagt ist gesagt!« Und er ging allein, still und würdevoll, hinaus zum Tischlerschuppen und setzte sich hin, um sein einhundertneunundzwanzigstes Holzmännchen zu schnitzen.

Währenddessen saß Hinke-Lotta schon auf der Stange im Hühnerhaus, und Rölla lief zufrieden mit den Katthultkühen auf der Wiese herum. Der Bastefaller war inzwischen gekommen, um seine sechs Tiere zu holen. Er und Michels Papa sprachen ziemlich lange über die Auktion und alles, was dort geschehen war. Deswegen dauerte es eine gute Weile, bis Michels Papa Michel herausholen konnte. Aber sobald der Bastefall-Bauer sich wieder auf den Weg gemacht hatte, lief er zum Tischlerschuppen.

Als er näher kam, sah er die kleine Ida auf einer Fußbank vor dem Fenster des Tischlerschuppens sitzen. Sie hielt das Samtkästchen mit den Schneckenhäusern in den Händen. Sie

hielt es so, als sei es das Schönste, was sie je in ihrem Leben bekommen hatte. Und das war es auch. Aber Michels Papa brummte:

»Wahnsinnsgeschäfte! Ein altes Samtkästchen!«

Klein-Ida merkte nicht, dass ihr Papa kam. Deshalb schwieg sie auch nicht, sondern fuhr fort, nett und folgsam die Wörter nachzusprechen, die Michel ihr aus dem dunklen Tischlerschuppen zuzischte. Michels Papa wurde bleich, als er sie hörte – Kirchenältester, der er war –, denn gräulichere Worte waren auf Katthult nie zuvor ausgesprochen worden, und sie wurden nicht besser dadurch, dass Klein-Ida sie mit so weichem, hellem Stimmchen sagte. »Still, Ida!«, brüllte Michels Papa. Dann steckte er die Hand durchs Fenster und packte Michel am Kragen.

»Lümmel du, bringst du deiner Schwester das Fluchen bei?«

»Das tu ich ja gar nicht«, sagte Michel. »Ich hab ihr nur gesagt, dass sie niemals ›zum Himmeldonnerwetter noch mal‹ sagen darf, und dann hab ich noch eine Menge anderer Wörter in sie hineingestopft, vor denen sie sich hüten soll wie vor offenem Feuer.«

Ja, nun weißt du, was Michel am 12. Juni angestellt hat. Wenn auch nicht alles so besonders gut war, muss man doch zugeben, dass er schlaue Geschäfte gemacht hat an diesem Tag. Stell dir vor, sich auf einmal so viel anzuschaffen: eine gute Milchkuh, eine ausgezeichnete Legehenne, einen prächtigen Brotschieber und außerdem so viel Milch, dass sie für einen großen, herrlichen Käse reichte!

Das Einzige, worüber sein Papa murren konnte, war viel-

leicht das alte Samtkästchen, das zu nichts auf der Welt nütze war, von Klein-Ida aber so sehr geliebt wurde. Sie legte ihren Fingerhut und ihre Schere hinein und ein kleines Gesangbuch, das sie in der Sonntagsschule bekommen hatte, eine hübsche blaue Glasscherbe und ihre rote Haarschleife. Als sie das Kästchen bekam, lag ein Bündel alter Briefe darin, das sie sofort auf den Fußboden warf. Aber als Michel, aus dem Tischlerschuppen befreit, am Samstagabend in die Küche kam, sah er die Briefe in einer Ecke liegen und nahm sie an sich.

Alfred ging mit einer Fliegenklatsche herum und schlug aus Leibeskräften nach den Fliegen, denn Lina sollte es wenigstens am Sonntag fliegenfrei haben, und ihm zeigte Michel die Briefe.

»Alles kann mal zu was nütze sein«, sagte Michel. »Sollte ich einmal Briefe wegschicken müssen, dann habe ich hier einen Haufen, die schon geschrieben sind.«

Obenauf lag ein Brief aus Amerika, und als Michel ihn sah, stieß er einen leisen Pfiff aus.

»Guck mal, Alfred, hier haben wir bestimmt den Brief von Adrian!«

Adrian war der älteste Sohn von Backhorva, der vor langer Zeit nach Amerika gefahren war und während der ganzen Zeit nur ein einziges Mal nach Hause geschrieben hatte. Das wusste ganz Lönneberga, und alle waren wütend auf Adrian, denn die armen Eltern taten ihnen leid. Aber *was* Adrian geschrieben hatte, als er schrieb, das wusste niemand, darüber hatten sie auf Backhorva geschwiegen.

»Aber jetzt kann man es vielleicht erfahren«, sagte Michel, der tüchtige Junge, der sich selbst das Lesen beigebracht hatte, gedruckte und geschriebene Buchstaben.

Er öffnete den Brief und las ihn Alfred laut vor. Es ging schnell, denn der Brief war kurz. Und das stand darin:

»Ich habe einen Behren gesen. Schieke euch Adrässe. Gutbaj für dieses Maal.«

»Von diesem Brief werd ich kaum Nutzen haben«, sagte Michel.

Aber da sollte er sich ganz schön irren.

Dann kam der Abend. Samstag, der 12. Juni, ging seinem Ende zu, die Nacht senkte sich über Katthult und brachte Stille und Ruhe allen, die dort wohnten, den Menschen und den Tieren. Allen außer Lina, die Zahnschmerzen hatte. Sie lag wach in ihrer aufgeklappten Küchenbank und stöhnte und jammerte, während die kurze Juninacht kam und ging und ein neuer Tag anbrach.

Ein neuer Tag auch in Michels Leben. Es war

Sonntag, der 13. Juni,

als Michel drei tapfere Versuche machte, Linas Backenzahn zu ziehen, und danach Klein-Ida ganz blau anmalte

Die Kühe mussten gemolken werden, ob es nun Alltag oder Sonntag war. Um fünf Uhr am Morgen rasselte der Wecker in der Küche, und Lina kroch aus ihrem Bett, vom Zahnschmerz ganz zerschlagen. Sie warf einen Blick in den Spiegel über der Kommode und stieß einen gellenden Schrei aus. Du liebe Güte, wie sie aussah! Die rechte Backe war geschwollen wie ein gut aufgegangenes Hefebrötchen. Nein, das war zu schrecklich! Lina fing an zu weinen.

Jetzt konnte sie einem wirklich leidtun, denn gerade heute sollte das ganze Dorf nach Katthult zum Kirchenkaffee kommen.

»Ich kann mich doch nicht zeigen, wenn ich nicht auf beiden Seiten gleich aussehe«, murmelte Lina und ging schluchzend zum Melken hinaus.

Sie brauchte sich aber nicht lange über ihre ungleichen Seiten zu sorgen, denn gerade als sie auf ihrem Melkschemel saß, kam eine Wespe und stach sie in die linke Backe. Nun sollte man ja meinen, dass sie zufrieden war, denn die linke Backe schwoll rasch an und wurde genauso dick wie die rechte. Ja, nun war es so gekommen, wie sie es haben wollte, beide Backen waren gleich rund, und trotzdem weinte sie noch mehr als vorher.

Als sie in die Küche kam, saßen alle am Frühstückstisch, und ich kann dir sagen, dass sie die Augen aufrissen, als sie plötzlich etwas Verschwollenes und Rotgeheultes in der Tür stehen sahen. Und das sollte Lina sein! Die Ärmste sah wirklich zum Weinen aus, und deshalb war es nicht nett von Michel, dass er stattdessen lachte. Er hatte gerade sein Milchglas an den Mund gesetzt und wollte trinken, als Lina hereinkam, und als er sie über dem Glasrand erblickte, prustete er los, dass die Milch quer über den Tisch spritzte und auf der feinen Kirchenweste seines Papas landete. Auch von Alfred hörte man ein leises Kichern, ja, Lina konnte einem wirklich leidtun!

Michels Mama sah Michel und Alfred streng an und sagte, dass es hier wirklich nichts zu lachen gab. Aber während sie Michels Papa abtrocknete, schaute sie noch mal zu Lina, und man merkte, dass sie verstand, warum Michel so losgeprustet hatte. Aber natürlich tat ihr Lina leid.

»Armes Kind«, sagte sie, »du siehst schlimm aus und kannst dich nicht vor den Leuten sehen lassen. Michel, lauf zu Krösa-Maja und bitte sie, dass sie kommt und uns hilft, den Kaffee aufzutragen!«

Sonntags Kirchenkaffee trinken, das mochten alle in Lönneberga, und sicher waren sie rundum auf den Höfen froh gewesen, als der Brief von Michels Mama kam, in dem sie schrieb:

Liebe Frauen und Herren,
wenn Sie zu uns kommen wollten
zum Kirchenkaffee jetzt am Sonntag.
Bitten freundlich
Alma und Anton Svensson
Katthult   Lönneberga

Nun war es Zeit für die Kirche. Michels Mama und Papa fuhren los, denn zuerst mussten sie natürlich in die Kirche, bevor von Kirchenkaffee die Rede sein konnte.

Und Michel ging brav zu Krösa-Maja mit der Nachricht. Es war ein schöner Morgen, und er pfiff vergnügt, als er in den Pfad zu Krösa-Majas Hütte einbog. Sie wohnte in einer alten Kate oben im Wald.

Wenn du auch einmal an einem frühen Sonntagmorgen im Juni in einem Wald in Småland gewesen bist, dann wirst du dich sofort erinnern, wie das ist: Du hörst den Kuckuck rufen und die Amsel flöten, und du fühlst, wie weich die Kiefernnadeln unter deinen nackten Füßen sind und wie schön die Sonne deinen Nacken wärmt. Du gehst dahin und magst den Harzduft von Kiefern und Tannen, und du siehst, wie weiß die

231

Walderdbeeren auf den Lichtungen blühen. Genauso empfand es auch Michel, und deshalb hatte er keine Eile, aber schließlich kam er doch zu dem Häuschen von Krösa-Maja, das so klein und grau und verfallen dalag, dass es kaum zwischen den Bäumen zu sehen war.

Drinnen saß Krösa-Maja und las die »Småland-Zeitung«, erschrocken und gleichzeitig zufrieden über etwas, was da zu lesen war.

»Es ist Tüfis nach Jönköping gekommen«, sagte sie, bevor sie überhaupt Guten Tag zu Michel gesagt hatte, und sie hielt Michel die Zeitung unter die Nase, damit er es selbst sehen konnte. Sehr richtig, da stand, dass zwei Bauern aus Jönköping an schwerem Typhus erkrankt waren, und Krösa-Maja nickte zufrieden.

»Tüfis, das ist eine furchtbare Krankheit«, sagte sie. »Und bald haben wir sie hier in Lönneberga, glaub mir!«

»Warum denn, wie kann sie herkommen?«, fragte Michel.

»Während du noch hier stehst, fliegt sie wie Löwenzahnsamen über ganz Småland«, sagte Krösa-Maja. »Kiloweise Tüfissamen. Und Gott helfe denen, wo sie Wurzeln schlagen!«

»Wie ist das, ist das ungefähr so wie die Pest?«, fragte Michel.

Von der Pest hatte Krösa-Maja erzählt. Sie kannte alle Krankheiten und Seuchen, und die Pest war etwas Furchtbares, hatte sie gesagt. Einmal, vor langer Zeit, hatte sie so gut wie alle Menschen in Småland umgebracht – wenn nun Typhus genauso schrecklich war!

Krösa-Maja dachte ein bisschen nach.

»Ja, es ist wohl ungefähr so wie die Pest«, sagte sie zufrieden. »Ich weiß nicht genau, aber ich meine, dass sie zuerst blau im Gesicht werden, und dann sterben sie. Ja, Tüfis, das ist eine schlimme Krankheit, ach, ach, ach!«

Aber dann hörte sie von Linas Zahnschmerzen und dem Elend mit ihren dicken Backen, ausgerechnet zum Kirchenkaffee, und sie versprach, dass sie nach Katthult kommen würde, so schnell sie konnte.

Michel ging nach Hause, und da fand er Lina auf der Küchentreppe, über die Zahnschmerzen jammernd, und neben ihr standen, völlig ratlos, Alfred und Klein-Ida.

»Du musst wohl doch zu Zahn-Pelle gehen«, sagte Alfred.

Zahn-Pelle, das war der Schmied in Lönneberga, der den Lönnebergern schmerzende Zähne mit seiner großen, grausigen Zange auszog.

»Wie viel nimmt er, wenn er einen Zahn zieht?«, fragte Lina zwischen ihren Schluchzern.

»Fünfzig Öre die Stunde«, sagte Alfred, und Lina schauderte es, als sie daran dachte, wie lange Zahnziehen dauern und wie teuer es werden konnte.

Aber Michel überlegte gründlich und sagte dann:

»Ich glaub, dass ich dir den Zahn billiger und auch schneller ziehen kann. Ich weiß, wie!«

233

Und dann erklärte er es Lina, Alfred und Klein-Ida.

»Ich brauche nur zwei Sachen, Lukas und einen langen, festen Zwirnsfaden. Das eine Ende binde ich um deinen Zahn, Lina, und das andere Ende hinten an meinen Gürtel. Dann galoppiere ich mit Lukas los – und plupp, fliegt der Zahn raus!«

»Plupp, ja, vielen Dank«, sagte Lina entrüstet. »Mit mir wird hier nicht galoppiert!«

Aber gerade da rumorte im Zahn ein Riesenschmerz, noch gemeiner als vorher, und das änderte Linas Meinung. Sie seufzte schwer.

»Wir können es ja versuchen. Gott möge mich Ärmste trösten«, sagte sie und ging den Zwirn holen.

Und dann machte Michel es, wie er gesagt hatte. Er führte Lukas zur Küchentreppe, und als die Sache mit dem Zwirnsfaden erledigt war, stieg er aufs Pferd. Die arme Lina stand angebunden hinter dem Pferdeschweif und plärrte und jammerte, und der kleinen Ida schauerte es, aber Alfred sagte zufrieden:

»Jetzt warten wir nur noch auf das Plupp!«

Da sauste Michel im Galopp los.

»Ui, jetzt kommt es bald«, sagte Klein-Ida.

Aber es kam nicht. Denn wer auch im Galopp lossauste, das war Lina. Sie hatte schreckliche Angst vor dem Plupp, das kommen würde, sobald der Zwirnsfaden sich ausreichend spannte. Deshalb raste sie in ihrer Todesangst genauso schnell wie Lukas. Es half nichts, dass Michel ihr zuschrie, sie sollte stehen bleiben. Lina rannte, der Zwirnsfaden hing schlaff, und es kam einfach kein Plupp.

Aber wenn Michel Lina helfen wollte, den Zahn loszuwer-

234

den, dann wollte er. Deshalb sprengte er in voller Fahrt auf den nächsten Zaun zu, und mit einem Sprung setzte Lukas darüber hinweg. Dahinter kam Lina, vor Angst fast irrsinnig, und tatsächlich, auch sie setzte über den Zaun! Klein-Ida, die dastand und zusah, sollte diesen Augenblick niemals vergessen, ihr ganzes Leben lang würde sie sich daran erinnern, wie Lina mit dicken Backen, wildem Blick und mit aus dem Mund hängendem Zwirnsfaden über den Zaun flog und wie sie schrie:

»Halt! Halt! Ich will nichts mehr wissen von dem Plupp!«

Nachher schämte sich Lina, dass sie alles verdorben hatte, aber jetzt war es zu spät. Nun saß sie wieder auf der Küchentreppe, immer noch im Besitz ihres Zahnes, und sah niedergeschlagen aus. Aber Michel gab nicht auf.

»Ich muss mir was anderes ausdenken«, sagte er.

»Ja, aber etwas, was nicht so schnell geht«, bat Lina. »Dieser elende Zahn braucht doch nicht mit einem Plupp rauszufliegen. Du kannst ihn vielleicht irgendwie rausdrehen!«

Und als Michel eine Weile nachgedacht hatte, wusste er, wie es zu machen war.

Lina musste sich am großen Birnbaum auf den Boden setzen, und während die kleine Ida und Alfred neugierig zusahen, band Michel Lina mit einem kräftigen Strick ordentlich am Stamm fest.

»Jetzt kannst du nicht mehr so schnell laufen«, sagte er. Dann nahm er den Zwirnsfaden, der immer noch aus Linas Mund hing, und zog ihn zum Schleifstein, wo Alfred die Sensen und Michels Papa seine Äxte und Messer schliff. An der Schleifsteinkurbel band Michel den Zwirn fest, und dann brauchte er nur noch anzufangen.

»Jetzt wird es nicht so ein schnelles Plupp, jetzt wird es nur ein Drrrr, so ein Rausdrehen, wie du es haben wolltest«, sagte Michel.

Klein-Ida schauderte es, Lina jammerte und plärrte, und dann begann Michel an der Kurbel zu drehen. Der Faden, der erst schlaff auf dem Boden lag, verkürzte sich, spannte sich

immer mehr, und je mehr er sich spannte, desto ängstlicher wurde Lina. Aber sie konnte ja nicht weglaufen.

»Jetzt fängt das Drrrr bald an«, sagte die kleine Ida. Aber da schrie Lina:

»Halt! Ich will nicht!«

Und schnell – wie gedacht, so getan – holte sie eine kleine Schere aus ihrer Schürzentasche hervor und schnitt den Zwirnsfaden durch.

Nachher schämte sie sich wieder und war traurig. Sie *wollte* den Zahn ja loswerden. Das Ganze war wirklich enttäuschend. Michel und Alfred und Klein-Ida waren überhaupt nicht zufrieden, und Michel sagte:

»Behalt du nur deinen alten Zahn! Ich hab jetzt getan, was ich kann!«

Aber da sagte Lina, wenn Michel es nur noch ein einziges Mal versuchen wollte, dann würde sie, so wahr sie hier sitze, sich bestimmt keine neuen Dummheiten erlauben.

»Denn jetzt soll der Zahn raus, und wenn ich selbst dabei draufgehe«, sagte sie. »Her mit mehr Zwirn!«

Michel war zu einem neuen Versuch bereit, und Alfred und Klein-Ida strahlten geradezu, als sie das hörten.

»Ich glaub trotzdem, dass die schnelle Art die beste ist«, sagte Michel. »Aber es muss so sein, dass du es einfach nicht verpatzen *kannst*, selbst wenn du Angst kriegst.«

Und pfiffig, wie Michel war, hatte er schon einen neuen Plan.

»Wir stellen dich aufs Stalldach, und dann springst du in den Heuhaufen darunter, und schon wenn du auf halbem Wege bist, fliegt der Zahn raus: Plupp!«

»Plupp«, sagte die kleine Ida, und ihr schauerte. Aber trotz allem, was Lina versprochen hatte – nun sträubte sie sich wieder dagegen und wollte nicht aufs Dach.

»So was Grausames kannst nur du erfinden, Michel«, sagte sie und blieb eigensinnig auf der Küchentreppe sitzen.

Aber der Zahn schmerzte wie verrückt, und schließlich erhob sie sich mit einem tiefen Seufzer.

»Also versuchen wir es – wenn es auch mein Tod sein wird.«

Alfred hatte schnell eine Leiter ans Stalldach gelehnt, und

Michel kletterte hinauf. Am Zwirnsfaden hielt er Lina fest wie einen Hund an der Leine, und folgsam kletterte sie ihm nach, wenn auch unter Gejammer.

Michel hatte einen Hammer und einen großen Sechszollnagel mitgenommen, und sobald er den Nagel auf dem Dachfirst eingeschlagen hatte, band er Linas Zwirnsfaden daran fest, und damit war alles klar.

»Spring jetzt«, sagte Michel.

Die arme Lina, sie saß rittlings auf dem Dachfirst und starrte in die Tiefe, und sie jammerte herzzerreißend. Dort unten sah sie die aufwärtsgewandten Gesichter von Alfred und Klein-Ida. Jetzt warteten sie darauf, dass sie wie ein Komet vom Himmel stürzen und im Heuhaufen landen würde. Linas Jammern wurde noch verzweifelter.

»Ich trau mich nicht ... wirklich ... ich trau mich nicht!«

»Ja, wenn du deinen alten Zahn behalten willst – von mir aus gern«, sagte Michel.

Da heulte Lina, dass man es über ganz Lönneberga hörte.

Dann richtete sie sich mit zitternden Beinen auf und stand aufrecht da, ganz vorn am Giebel. Sie schwankte vor und zurück wie eine Föhre im Sturm, und Klein-Ida hielt sich die Augen zu, sie wagte nicht, zu gucken.

»Jaijaijai«, schluchzte Lina. »Jaijaijai!«

Es wäre schon schlimm gewesen, ohne einen einzigen Zahn im Mund vom Stalldach zu springen, aber wo sie nun wusste, dass es mitten im Sprung dieses fürchterliche Plupp geben würde, war das fast mehr, als ein Mensch ertragen konnte.

»Spring, Lina!«, schrie Alfred. »Spring endlich!«

Lina jammerte und schloss die Augen.

»Ich werd dich in Trab bringen«, sagte Michel, freundlich, wie er war. Er brauchte dazu nicht mehr als seinen Zeigefinger, mit dem er sie nur ein bisschen im Rücken anstieß, und mit einem gellenden Aufschrei fiel Lina vom Dach.

Zwar hörte man ein leises Plupp, aber das war, als sich der Sechszollnagel aus dem Dachfirst löste.

Lina lag im Heuhaufen, immer noch im Besitz ihres Zahnes, und am anderen Ende des Zwirnsfadens hing der Nagel. Und jetzt war sie böse auf Michel. »Unfug und Verrücktheiten ausdenken, das kannst du, aber Zähne ziehen, dazu taugst du nicht!« Für Lina war es nur gut, dass sie böse war, denn aus reiner Wut ging sie jetzt schnurstracks zu Zahn-Pelle. Der Schmied packte mit seiner grausigen Zange ihren Zahn, und mit einem Plupp fuhr er heraus, und Lina warf ihn wütend auf Pelles Misthaufen, und dann ging sie nach Hause.

Nun darf keiner glauben, dass Michel inzwischen untätig war. Alfred hatte sich unter dem Birnbaum ins Gras gelegt, um zu schlafen, mit ihm zusammen konnte er im Augenblick

keinen Spaß haben. Deshalb ging er mit der kleinen Ida in die
Kammer. Er meinte, sie könnten ja eine Weile spielen, bis Papa
und Mama von der Kirche zurückkommen würden und es mit
dem Kirchenkaffee losgehen würde.

»Wir können spielen, dass ich der Doktor aus Mariannelund bin«, sagte Michel. »Und du bist ein kleines krankes Kind,
das ich heilen soll.«

Ida war sofort einverstanden. Sie zog sich aus und legte sich
ins Bett, und Michel guckte ihr in den Hals und horchte ihre
Brust ab und war genau wie der Doktor aus Mariannelund.

»Was für eine Krankheit habe ich?«, fragte Ida.

Michel dachte nach, und plötzlich wusste er es.

»Du hast Tüfis«, sagte er. »Das ist eine schreckliche Krankheit.«

Aber dann fiel ihm ein, was Krösa-Maja gesagt hatte – dass

man bei Typhus wahrscheinlich im Gesicht blau wird. Und ordentlich, wie Michel in solchen Sachen war, sah er sich nach etwas um, was ihm helfen konnte, Ida die richtige Krankheitsfarbe zu geben. Hinten auf der Kommode stand Mamas Tintenfass, das sie brauchte, wenn sie Michels Streiche in ihrem Schreibheft aufschrieb und wenn sie Briefe schrieb und zum Kirchenkaffee einlud. Der Zettel, auf dem seine Mama die Einladung vorgeschrieben hatte, lag übrigens auch auf der Kommode. Michel las dieses »Bitten freundlich«, und er bewunderte seine Mama, die so gut schreiben und sich so vornehm ausdrücken konnte. Das war anders als bei diesem Adrian, der gerade hinkriegte, dass er »einen Behren gesen« hatte.

Jetzt brauchte seine Mama das Vorgeschriebene ja nicht mehr, also knüllte Michel das Papier zu einem kleinen Ball zusammen, den er in das Tintenfass hineinzwängte. Als sich das Papier genug mit Tinte vollgesogen hatte, fischte er den Ball heraus, nahm ihn zwischen die Fingerspitzen und näherte sich Ida.

»Jetzt, Ida, sollst du sehen, was Tüfis ist«, sagte er, und Ida kicherte entzückt.

»Kneif die Augen zusammen, damit du keine Tinte reinkriegst«, sagte Michel, und dann malte er Klein-Ida das ganze Gesicht hübsch blau an. Aber umsichtig, wie er war, malte er nicht dicht an den Augen; dort sparte er Idas eigene Farbe aus, und es blieben ein Paar große weiße Löcher. Und diese weißen Löcher in dem Blau gaben Ida ein so furchtbar krankes Aussehen, dass Michel Angst bekam – sie glich ja beinahe so einem kleinen Gespensteraffen, wie er ihn auf einem Bild in dem Buch »Das Leben der Tiere« beim Pastor gesehen hatte.

»Hu«, sagte Michel, »Krösa-Maja hat recht, Tüfis ist eine
schreckliche Krankheit!«

In diesem Augenblick kam Krösa-Maja aus dem Wald an-
gestiefelt, und am Katthultzaun traf sie Lina, die von ihrem
Besuch bei Zahn-Pelle zurückkam.

»Wie geht's«, fragte Krösa-Maja interessiert, »tut der Zahn
immer noch weh?«

»Das weiß ich nicht«, sagte Lina.

»Weißt du nicht? Wie meinst du das?«

»Nee, denn das Luder liegt auf Zahn-Pelles Misthaufen.
Aber ich hoffe, da liegt er und hat Schmerzen, dass es in ihm
schreit.«

Lina war froh und längst nicht mehr so pausbäckig wie vorher. Sie ging zum Birnbaum, um Alfred die Zahnlücke zu zeigen, und Krösa-Maja ging weiter, um in der Küche alles für
den Kaffee vorzubereiten. Sie hörte die Kinder in der Kammer und wollte gern Klein-Ida begrüßen, die ihr Liebling war.

Aber als sie ihren Liebling dort so hässlich blau gegen das weiße Kissen im Bett liegen sah, da schrie sie laut auf.

»Was um Himmels willen ...«

»Das ist Tüfis«, sagte Michel mit einem leichten Grinsen.

Im selben Augenblick hörte man draußen auf dem Weg die Wagen poltern. Sie kamen aus der Kirche, Michels Mama und Papa und alle ihre Gäste mit dem Pastor voran. Und sobald sie am Stall abgeschirrt hatten, zogen sie kaffeedurstig und erwartungsvoll zum Wohnhaus hinüber. Aber auf der Treppe stand Krösa-Maja und schrie mit schneidender Stimme:

»Fahrt von hinnen! Fahrt von hinnen! Wir haben Tüfis auf dem Hof!«

Alle zuckten zurück und blieben bestürzt und ängstlich stehen, aber Michels Mama fragte:

»Was redest du da? Wer hat hier Typhus?«

Da stand plötzlich Klein-Ida im Hemd hinter Krösa-Maja in der Tür, das Gesicht blau mit weißen Löchern.

»Das bin ich«, sagte sie und kicherte entzückt.

Alle fingen an zu lachen, alle außer Michels Papa. Der sagte laut und mit Nachdruck:

»Wo ist Michel?«

Aber Michel war verschwunden. Er ließ sich während der ganzen Kaffeetrinkerei nicht sehen.

Nach dem Kaffee ging der Pastor in die Küche, um Krösa-Maja zu trösten, die dasaß, wütend und traurig, weil es kein richtiger Typhus war. Und als der Pastor fertig getröstet hatte, geschah das Merkwürdige: Sein Blick fiel auf Michels Briefbündel, das auf einem Stuhl lag.

Der Pastor juchzte begeistert auf und riss den Amerikabrief
von Adrian an sich.

»Nein, ist das denn möglich, dass gerade ihr diese Briefmarke habt, die ich so lange gesucht habe!«

Der Pastor war nämlich Briefmarkensammler und wusste,
was seltene Marken wert waren. Jetzt bot er ohne Zögern vierzig Kronen für die Briefmarke, die auf Adrians Brief klebte.

Michels Papa konnte kaum atmen, als er diese ungeheure
Summe hörte. Sich vorzustellen, dass jemand für einen so
kleinen Papierfetzen vierzig Kronen bezahlen wollte! Fast ver-
ärgert schüttelte er den Kopf. Ja, das war natürlich Michels
übliches Glück! Es sollte sich jetzt zeigen, dass das alte Samtkästchen *auch* ein gutes Geschäft war, das beste von allen Geschäften, die Michel gestern auf der Auktion gemacht hatte!

»Für vierzig Kronen kann ich mir ja eine halbe Kuh kaufen«, sagte Michels Papa fast ein bisschen vorwurfsvoll zum Pastor.

Da hielt es Michel nicht länger aus in seinem Versteck in der Holzkiste. Er hob den Deckel hoch und steckte neugierig den Kopf heraus.

»Wenn du eine halbe Kuh kaufst«, sagte er, »nimmst du dann das Vorderteil, das muht, oder das Hinterteil, das mit dem Schwanz wedelt?«

»*In den Tischlerschuppen, Michel*«, sagte Michels Papa.

Und Michel ging. Aber vorher bekam er vom Pastor vier schöne Zehnkronenscheine, und am nächsten Tag ritt er nach Backhorva und gab dort Adrians Brief zurück und dazu die Hälfte des Geldes. Dann ritt er, gefolgt von den Segensrufen der Backhorver, heim und beschäftigte sich mit neuem Unfug.

»Ich glaube, dass ich mich noch auf einigen anderen Auktionen umsehen sollte«, sagte er, als er nach Hause kam. »Findest du nicht auch, Papa?«

Sein Papa murmelte eine Antwort, doch keiner konnte verstehen, was er sagte.

Aber den ganzen Sonntagabend – nach dem Kirchenkaffee – saß Michel wie gesagt im Tischlerschuppen und schnitzte sein einhundertdreißigstes Holzmännchen, als ihm plötzlich einfiel, dass ja Sonntag war. An dem Tag durfte man nich mit einem Messer schneiden – das war eine schreckliche Sünde. Wahrscheinlich durfte man auch keine Zähne ziehen oder jemanden blau anmalen. Michel stellte sein Holzmännchen weg – zu den anderen auf das Regal.

Da saß er nun auf dem Hauklotz, während es vor dem Fenster des Tischlerschuppens dämmerte, und dachte an seine Sünden. Schließlich faltete er die Hände und betete:

»Lieber Gott, mach, dass ich mit meinem Unfug aufhöre! Bittet freundlich Michel Svensson – Katthult – Lönneberga.«

Dienstag, der 10. August,

als Michel den Frosch in den Vesperkorb steckte und dann so Fürchterliches anstellte, dass man kaum davon reden mag

E igentlich konnte einem Michels Papa schon ein bisschen leidtun. Da hatte sein Junge doch ein gutes Wahnsinnsgeschäft nach dem anderen gemacht, und er selbst war nur mit einer Sau von der Auktion nach Hause gekommen. Und dieses furchtbare Tier bekam doch eines Nachts elf Ferkel – niemand hatte damit gerechnet – und biss sofort zehn davon tot. Das tut eine Sau manchmal. Das elfte Ferkel wäre auch fast mit draufgegangen, wenn Michel es nicht gerettet hätte. Michel wachte nämlich in der Nacht auf; er hatte Bauchschmerzen und musste raus. Als er am Schweinestall vorbeikam, hörte er dort ein Ferkel um sein Leben quieken. Michel riss die Tür auf, er kam in der letzten Sekunde – und in der letzten Sekunde entriss er das Schweinchen seiner grausamen Mutter. Ja, das war wirklich eine bösartige Sau, aber dann bekam sie ja auch kurz danach eine seltsame Krankheit, und am dritten Tag starb sie. Und Michels Papa, der Ärmste, da stand er nun mit nur einem einzigen erbärmlichen Schweinchen. Das war also alles, was ihm von der Auktion auf Backhorva noch geblieben war! Kein Wunder, dass er trübsinnig war.

»Auf Backhorva ist alles erbärmlich und elend«, sagte er

abends in der Kammer zu Michels Mama, als sie schlafen gingen. »Es liegt irgendein Fluch auf all ihren Tieren, das merkt man ganz deutlich.«

Michel, der hinten in seinem Bett lag, hörte das und steckte sofort die Nase über die Bettkante.

»Ich kann das Schwein nehmen«, sagte er. »Mir macht es nichts aus, wenn es verflucht ist.«

Aber das mochte Michels Papa nicht hören.

»Du willst immer nur haben und haben«, sagte er bitter. »Und ich? Soll ich niemals *etwas* haben?«

Da schwieg Michel und erwähnte das Ferkel eine Zeit lang nicht mehr. Es war übrigens ein außergewöhnlich elendes Schweinchen, dünn und bläulich und ohne viel Leben in sich. Sicher war es der Fluch, der ihm die Kraft nahm, dachte Michel, und er fand es schrecklich, dass so etwas kleinen Ferkeln zustoßen konnte, die nichts Böses getan hatten.

Das fand Michels Mama auch.

»Armer Knirps«, sagte sie.

Lina hatte ein Herz für Tiere und besonders für dieses Schweinchen.

»Armes Knirpsschweinchen«, sagte sie, »es stirbt sicher bald.«

Und es wäre sicherlich gestorben, wenn Michel es nicht mit in die Küche genommen und ihm in einem Korb mit einer weichen Decke ein Lager bereitet hätte. Er gab ihm Milch aus einer Babyflasche und war in jeder Weise wie eine Mutter zu ihm.

Alfred kam herein und sah, wie sich Michel bemühte, das arme kleine Ding zu füttern, und er fragte:

»Was ist mit dem Schwein?«

»Es ist verflucht und will nicht fressen«, sagte Michel.

»Ach so. Und warum ist es so böse?«, fragte Alfred. Aber Michel erklärte ihm, dass das Ferkel nicht böse sei, sondern schwach und elend, weil ein Fluch auf ihm läge.

»Aber den Fluch werde ich schon kleinkriegen«, versicherte Michel. »Dieses Schwein werd ich am Leben erhalten, das hab ich mir vorgenommen.«

Und wirklich, das schaffte er! Es dauerte nicht lange, bis das Schweinchen munter, zart und rund und rosig war, genau wie Ferkel sein sollen.

»Ich glaub wirklich, dass unser Knirpsschweinchen durchkommt«, sagte Lina. »Knirpsschweinchen« sagte sie, und solange es lebte, behielt es diesen Namen.

»Ja, wirklich, der Knirps schafft es«, sagte Michels Papa. »Das hast du gut gemacht, Michel!«

Michel freute sich, wenn sein Papa ihn lobte, und er fragte vorsorglich:

»Wie oft muss ich ihm noch das Leben retten, bis ich es kriege?«

Aber darauf sagte Michels Papa nur »Hm« und sah finster aus, und Michel schwieg und erwähnte das Ferkel eine Zeit lang nicht mehr.

Jetzt musste das Knirpsschweinchen wieder in den Schweinestall ziehen, aber dort wollte es nicht so gern sein. Am liebsten wollte es Michel wie ein Hund auf Schritt und Tritt folgen, und Michel ließ es auch fast den ganzen Tag frei herumlaufen.

»Es glaubt bestimmt, dass du seine Mutter bist«, sagte Klein-Ida. Und vielleicht glaubte es das wirklich, denn sobald das Knirpsschweinchen Michel sah, lief es mit schrillem, jubelndem Grunzen hinter ihm her. Es wollte bei Michel sein und hatte es besonders gern, wenn er ihm den Rücken kratzte, und darin war Michel unermüdlich.

»Fürs Schweinekratzen hab ich eine gute Hand«, sagte er. Und er saß brav auf dem Schaukelbrett unter dem Kirschbaum und kratzte Knirpsschweinchen lange und gründlich, und das Knirpsschwein stand da, die Augen geschlossen, und grunzte leise, um sein Wohlbehagen zu zeigen.

Sommertage kamen, und Sommertage gingen, langsam wurden die Kirschen reif über Knirpsschweinchen, das dastand und gekratzt wurde. Ab und zu riss Michel eine Handvoll ab und gab sie ihm, denn Knirpsschweinchen mochte Kirschen. Und es mochte Michel. Ja, mehr und mehr wurde ihm klar, wie schön doch ein Schweineleben sein kann, wenn man an einem Ort landet, wo es einen Michel gibt.

Michel mochte das Knirpsschweinchen auch, jeden Tag mehr und mehr. Und eines Tages, als er auf dem Schaukelbrett saß und es kratzte, dachte er darüber nach, *wie* gern er es hatte und wen er außerdem noch gernhatte.

Zuerst kommt Alfred, dachte er, und dann Lukas und dann Ida und dicht dahinter Knirpsschweinchen … Aber, oh – ich habe ja Mama vergessen! Klar, dass Mama ... Und danach kommen Alfred und Lukas und Ida und Knirpsschweinchen.

Er zog die Augenbrauen hoch und dachte lange nach.

Und dann sind da noch Papa und Lina, dachte er. Oh ja, an manchen Tagen mag ich Papa, aber an manchen nicht. Und Lina – ich weiß wirklich nicht, ob ich sie mag oder nicht ... die kann so mitlaufen wie die Katze ungefähr.

Natürlich machte Michel so gut wie jeden Tag seine Streiche, und er saß auch fleißig im Tischlerschuppen, was aus den blauen Schreibheften dieser Zeit hervorgeht. Aber jetzt, mitten in der Erntezeit, hatte Michels Mama es eilig. Deshalb stand da manchmal nur »Michel im Tischlerschuppen«, ohne dass erzählt wurde, warum.

Michel nahm jetzt jedes Mal, wenn er in den Tischlerschuppen musste, Knirpsschweinchen mit; denn zusammen mit einem lieben kleinen Schwein ging die Zeit schneller vorüber. Er konnte ja nicht immerzu Holzmänner schnitzen. Stattdessen brachte er Knirpsschweinchen alle möglichen Kunststücke bei, Kunststücke, von denen wohl kein Mensch in ganz Lönneberga sich hätte träumen lassen, dass ein gewöhnliches Smålandschwein sie lernen könnte. In aller Heimlichkeit tat er es, und Knirpsschweinchen war gelehrig und sehr zufrieden mit allem, besonders weil es jedes Mal, wenn es etwas Neues gelernt hatte, mit irgendeiner Leckerei von Michel belohnt wurde. Michel hatte nämlich einen ganzen Vorrat an Zwieback und Keks und getrockneten Kirschen und anderen essbaren Dingen in einer geheimen Dose hinter der Hobelbank. Er wusste ja nie, wann er im Tischlerschuppen landen würde, und wollte dann nicht noch unnötig hungern.

»Mit ein bisschen Schlauheit und einigen getrockneten
Kirschen kann man einem Schwein so ziemlich alles beibringen«, erklärte Michel Alfred und Ida an einem Samstagabend,
als er ihnen Knirpsschweinchens geheime Kunststücke vor-
führte, die bisher noch niemand zu sehen bekommen hatte.
Das geschah in der Fliederlaube, und es war ein großer Augenblick – für beide, für Michel und für Knirpsschweinchen.
Alfred und Ida saßen da auf einer Bank und sperrten die Augen auf vor Staunen über Knirpsschweinchens ungeahnte Fä-
higkeiten. So ein Schwein gab es nicht noch einmal. Es konnte
brav sitzen wie ein Hund, wenn Michel »Sitz brav« sagte, und
wie tot daliegen, wenn Michel rief: »Lieg tot«, und es konnte
die rechte Pfote zum Dank heben, wenn es getrocknete Kirschen bekam.

Ida klatschte vor Entzücken in die Hände.

»Kann es noch mehr?«, fragte sie eifrig.

Da rief Michel »Galopp!«, und schon lief Knirpsschweinchen in der Fliederlaube im Kreis herum. Und wenn Michel in
kurzen Abständen »Hopp!« rief, machte es kleine Luftsprünge, und danach rannte es weiter, zufrieden mit sich selbst, das
sah man.

»Oh, wie ist es süß«, sagte Klein-Ida, und es sah wirklich

süß aus, wenn Knirpsschweinchen in der Laube seine kleinen Luftsprünge machte.

»Unnatürlich ist es schließlich doch für ein Schwein«, sagte Alfred.

Aber Michel war stolz und glücklich. In ganz Lönneberga und ganz Småland gab es kein Schwein wie dieses, das war sicher.

Mit der Zeit brachte Michel dem Knirpsschweinchen auch Seilspringen bei. Hast du jemals ein Schwein über ein Seil springen sehen? Nein, das hast du nicht und Michels Papa auch nicht. Aber eines Tages, als er zum Stall kam, sah er dort Michel und Ida stehen. Zwischen sich schwenkten sie einen alten Zügel, und über diesen Zügel sprang Knirpsschweinchen, dass der Sand nur so um seine kleinen Pfoten stob.

»Das macht ihm Spaß«, versicherte Klein-Ida, aber darauf biss ihr Papa nicht an.

»Schweine sollen keinen Spaß haben«, sagte er. »Sie sollen Weihnachtsschinken werden. Aber bei dem Gehopse wird es so mager wie ein Jagdhund, und das will ich nicht.«

Das gab Michel einen Stich. Weihnachtsschinken aus Knirpsschweinchen – so weit hatte er nicht gedacht! Aber jetzt dachte er. Und er fragte sich, ob das hier nicht einer dieser Tage war, an denen er seinen Papa nicht so besonders mochte.

Es war Dienstag, der 10. August, an dem Michel seinen Papa nicht besonders mochte. Es war frühmorgens an einem sonnigen, warmen Sommertag, als Knirpsschweinchen vor dem Stall über das Seil sprang und Michels Papa das von dem Weihnachtsschinken sagte. Dann verschwand er, denn gerade an diesem Tag begannen sie auf Katthult mit der Roggenernte, und Michels Papa musste bis zum Abend auf dem Roggenfeld bleiben.

»Das Beste, was du tun kannst, Knirpsschweinchen«, sagte Michel, als sein Papa gegangen war, »bleib mager wie ein Jagdhund, dann kommst du vielleicht durch, sonst ... Du kennst meinen Vater nicht!«

Den ganzen Tag ging Michel umher und hatte Angst um sein Knirpsschweinchen und machte nur ein bisschen Klein-

unfug, der kaum bemerkt wurde. Er setzte Ida in den alten Trog am Brunnen, wo die Pferde und Kühe Wasser bekamen, und spielte, es sei ein Boot auf dem Meer. Dann pumpte er den ganzen Trog voll und spielte, das Boot sei leck und schrecklich voll Wasser. Ida wurde von oben bis unten nass, und sie fand es lustig. Danach schoss Michel mit seinem Flitzbogen auf eine Schüssel mit Rhabarbercreme, die seine Mama zum Abkühlen in das Fenster der Speisekammer gestellt hatte. Er wollte nur sehen, ob er treffen konnte; dass die Schüssel auseinanderbrechen würde, hatte er nicht erwartet, aber das tat sie. Und da war Michel froh, dass sein Papa weit weg auf dem Roggenfeld war. Seine Mama ließ ihn nur eine kurze Zeit im Tischlerschuppen sitzen, einerseits, weil er ihr leidtat, und andererseits, weil sie ihn brauchte, damit er den Kaffee zu den Ernteleuten brachte. Den wollten sie draußen auf den Feldern haben, so war das in ganz Lönneberga und in ganz Småland,

und auf allen Höfen waren es die Kinder, die den Kaffee hinaus aufs Feld trugen.

Anmutige Boten waren sie wahrhaftig, diese Smålandkinder, wie sie mit ihren Kaffeekörben durch Wäldchen und über Wiesen auf sich schlängelnden Pfaden daherkamen, die alle bei einem kleinen mageren Ackerflecken endeten, so angefüllt mit Steinhaufen, dass man darüber weinen konnte. Die Smålandkinder weinten natürlich nicht, denn zwischen den Steinen wuchsen viele Walderdbeeren, und Walderdbeeren mochten sie gern.

An diesem Tag wurden also Michel und Ida auch mit Kaffee losgeschickt. Sie trabten rechtzeitig von zu Hause los und

trugen den Korb behutsam zwischen sich und kamen gut voran. Aber mit Michel war das so, dass er nie den geraden Weg nahm, er suchte Schlängelwege, hierhin und dorthin, wo es etwas zu sehen gab. Und wohin Michel ging, dahin ging auch Ida. Heute machte Michel unter anderem den Umweg zum Sumpf hinunter. Da gab es reichlich Frösche, und er fand tatsächlich auch jetzt einen. Er wollte ihn gern näher studieren, außerdem meinte er, dass der Frosch vielleicht etwas Abwechslung brauche und nicht den ganzen Tag im Sumpf sitzen solle. Deshalb steckte er ihn in den Kaffeekorb und schloss den Deckel über ihm – nun war er sicher verwahrt.

»Wohin soll ich ihn sonst stecken?«, sagte Michel, als Ida fragte, ob es wirklich gut sei, den Frosch ausgerechnet in den Kaffeekorb zu setzen. »In den Hosentaschen habe ich doch Löcher. Übrigens will ich ihn auch nur ein Weilchen behalten. Später kann er wieder in den Sumpf zurück«, sagte er, der verständige Junge.

Hinten auf dem Roggenfeld mähten Michels Papa und Alfred mit ihren Sensen, und hinter ihnen gingen Lina und Krösa-Maja und rafften die Roggenhalme zusammen und banden sie zu Garben. So wurde es damals gemacht.

Als Michel und Ida endlich mit dem Kaffeekorb auftauchten, wurden sie von ihrem Papa nicht als anmutige Boten begrüßt, im Gegenteil, sie wurden ausgeschimpft, weil sie so spät kamen. Wenn Kaffeezeit war, hatte der Kaffee auf die Minute pünktlich da zu sein.

»Ja, aber jetzt wird uns ein Schlückchen guttun«, sagte Alfred, der es gut meinte und Michels Papa auf andere Gedanken bringen wollte. Und wenn du jemals an einem warmen Augusttag in der Gegend von Lönneberga bei einer Kaffeepause draußen auf dem Acker dabei gewesen bist, dann weißt du, wie schön es ist, wenn man bei einem besonnten Steinhaufen zusammensitzt, redet und Kaffee trinkt und Butterbrote isst und sich ausruht. Aber Michels Papa war immer noch wütend, und es wurde nicht besser, als er den Korb an sich riss und den Deckel hob. Denn da sprang der Frosch genau auf ihn zu und verschwand in seinem Hemd, das er wegen der Hitze über der Brust aufgeknöpft trug. Der kleine Frosch hatte so kalte Füße, und das fand Michels Papa ekelhaft. Vor Unbehagen fuchtelte er mit den Armen, und dabei traf er unglücklicherweise die Kaffeekanne, und die fiel um. Michel hob sie aber unheimlich schnell auf, sodass nur wenig Kaffee auslaufen konnte. Der Frosch war nicht zu sehen. Der war vor lauter Schreck hinunter in die Hosen von Michels Papa gerutscht, und als der das fühlte, wurde er vollkommen wild. Er stieß mit den Beinen um sich, um den Frosch aus dem Hosenbein zu schütteln, aber leider war

die Kaffeekanne wieder im Weg. Sie bekam einen Stoß und fiel um, und wäre Michel nicht gewesen, der sie schnell aufrichtete, dann hätten sie eine Kaffeepause ohne Kaffee gehabt, und das wäre traurig gewesen.

Dem Frosch lag wirklich nichts daran, dort zu bleiben, wo er war. Er rutschte also aus dem Hosenbein heraus, und Michel packte ihn. Aber sein Papa war *immer noch* wütend. Er glaubte, das mit dem Frosch sei einer der üblichen Streiche von Michel, und das war es doch nun wirklich nicht. Michel hatte gedacht, dass Lina den Korb öffnen würde und vielleicht entzückt wäre, einen kleinen, süßen Frosch zu erblicken. Ich erwähne das alles nur, damit du verstehst, dass Michel es nicht immer leicht hatte und manchmal die Schuld bekam für Streiche, die keine Streiche waren. Was glaubte denn zum Beispiel Michels Papa, wohin Michel den Frosch hätte stecken sollen, wenn doch Löcher in seinen beiden Hosentaschen waren?

Lina sagte ja ständig von Michel: »Er macht nur immer Unfug, dieser Junge. So einen Bengel wie den hab ich noch nie gesehn. Und wenn er selbst keinen Unfug macht, passiert trotzdem noch genug mit ihm!«

Passiert trotzdem noch genug – da hatte Lina wahre Worte gesprochen! Sie wurden durch das bestätigt, was später am selben Tag noch geschah.

Man kann es kaum erzählen, was Michel da passierte. Es war so schlimm, dass ganz Lönneberga noch lange danach darüber stöhnte und jammerte. Und alles passierte nur, weil Michels Mama so eine tüchtige Hausfrau war und es ausgerechnet in diesem Jahr so viele Kirschen auf Katthult gab. Aber für all das konnte Michel ja nichts, nein, es passierte eben trotzdem.

Michels Mama war unvergleichlich im Einmachen und Saftkochen und Einkochen und Aufbewahren von allem, was im Wald zu finden war oder was daheim im Garten wuchs. Sie pflückte Preiselbeeren, Blaubeeren und Himbeeren, so viel sie konnte. Sie kochte Apfelmus und Ingwerbirnen ein und machte Johannisbeergelee und Stachelbeerkompott und Kirschsaft, und sie achtete darauf, den ganzen Winter über getrocknete Früchte für ihre guten Fruchtsuppen zu haben. Im großen Ofen in der Küche dörrte sie Äpfel, Birnen und Kirschen und schüttete sie in weiße Leinenbeutel, die sie unter dem Dach in der Vorratskammer aufhängte. Ja, es war eine Freude, diese Vorratskammer zu sehen.

Mitten in der Kirschenernte kam die feine Frau Petrell aus Vimmerby zu Besuch nach Katthult, und da beklagte sich Michels Mama ein bisschen wegen der vielen gesegneten Kirschen, mit denen sie bald nichts mehr anzufangen wusste.

»Sie sollten Kirschwein ansetzen«, sagte Frau Petrell.

»Nein, davor bewahre mich der Himmel«, sagte Michels Mama.

Von Kirschwein wollte sie nichts hören. Katthult war ein nüchterner Platz. Michels Papa nippte nie an starken Getränken, er trank nicht mal Bier. Allerdings – wenn er eingeladen wurde, auf Märkten und so, da konnte er nicht gut ablehnen. Was sollte er machen, wenn jemand ihn zum Bier einlud, zu einer oder zwei Flaschen vielleicht! Er konnte sich doch schnell ausrechnen, dass zwei Flaschen Bier dreißig Öre kosteten, und dreißig Öre kann man nicht ohne Weiteres wegwerfen. Da gab es nur eins: trinken, ob er wollte oder nicht. Kirschwein aber würde er niemals anrühren. Das wusste Michels Mama, und sie sagte es Frau Petrell. Aber Frau Petrell meinte, auch wenn auf Katthult niemand Wein tränke, gäbe es doch andere Leute, die nichts gegen ein Gläschen einzuwenden hätten. Sie selbst hätte sehr, sehr gern einige Flaschen Kirschwein gehabt – und warum sollte da Michels Mama nicht in aller Stille einen Krug Kirschen in einer versteckten Ecke des Kartoffelkellers zum Gären ansetzen! Nach der Gärzeit wollte Frau Petrell wiederkommen und ihren Wein abholen und gut dafür bezahlen, sagte sie.

Es fiel Michels Mama immer schwer, Nein zu sagen, wenn jemand sie um etwas bat, außerdem war sie, wie gesagt, eine sehr tüchtige Hausfrau, die nichts umkommen lassen konnte. Getrocknete Kirschen hatte sie schon mehr, als sie brauchen konnte. Plötzlich, ohne dass sie richtig wusste, wie es geschah, hatte sie Frau Petrell versprochen, Kirschwein für sie zu machen. Michels Mama war aber nicht für Heimlichkeiten, sie erzählte also Michels Papa davon. Der murrte zuerst, aber schließlich sagte er:

»Mach, was du willst! Was hat sie übrigens gesagt, wie viel will sie bezahlen?«

Darüber hatte Frau Petrell nicht genauer gesprochen. Aber nun, nachdem ihr Wein mehrere Wochen im Kartoffelkeller gestanden hatte und gegoren war, fand Michels Mama gerade an diesem Augusttag, dass er fertig sei. Jetzt war es Zeit, ihn in Flaschen zu füllen. Es passte ihr gut, das zu tun, während Michels Papa draußen auf dem Roggenfeld war, fand sie. Dann sah er es nicht und brauchte sich nicht sündig und verderbt vorzukommen, weil in seinem Haus Wein gemacht wurde.

Bald hatte Michels Mutter zehn Flaschen Wein, ordentlich

aneinandergereiht, auf dem Küchentisch stehen. Die wollte sie nun in einen Korb packen und in eine Ecke im Kartoffelkeller stellen, damit sich keiner darüber aufregen musste, und dann konnte Frau Petrell kommen, wann sie wollte, und sich ihren Wein abholen.

Die vergorenen Kirschen, aus denen der Wein gemacht worden war, standen in einem Eimer draußen vor der Küchentür, als Michel und Ida mit ihrem Kaffeekorb vom Roggenfeld zurückkamen.

»Nimm den Eimer, Michel«, sagte Michels Mama, »und vergrab diese Kirschen im Abfallhaufen.«

Folgsam, wie Michel war, ging er damit los. Der Abfallhaufen lag genau hinter dem Schweinestall, und im Schweinestall lief Knirpsschweinchen hin und her. Als es Michel sah, grunzte es laut. Michel sollte doch begreifen, dass es jetzt herauswollte, um bei ihm zu sein.

»Gut, wenn du rauswillst ...«, sagte Michel und stellte den Eimer ab. Er öffnete das kleine Gatter, und mit einem Jubelgrunzer stürzte Knirpsschweinchen heraus. Es steckte sofort

den Rüssel in den Eimer, weil es glaubte, Michel sei mit Futter zu ihm gekommen. Da erst fing Michel an, darüber nachzudenken, was seine Mama gesagt hatte – dass er die Kirschen im Abfallhaufen vergraben sollte. Das war wirklich seltsam, in Katthult wurde sonst nie etwas vergraben, was man essen konnte. Und diese Kirschen hier waren offenbar lecker. Knirpsschweinchen hatte sich schon einige einverleibt. Michel meinte, dass seine Mama die Kirschen im Abfallhaufen vergraben haben wollte, damit sie aus dem Weg waren, wenn sein Papa gleich vom Roggenfeld heimkam.

Aber dann kann Knirpsschweinchen sie doch ebenso gut auffressen, dachte Michel. Weil es doch so wild auf Kirschen ist!

Anscheinend mochte Knirpsschweinchen gerade diese Kirschen besonders gern. Es grunzte entzückt und wühlte so im Eimer herum, dass sein Rüssel rot wurde. Um es ihm leichter zu machen, schüttete Michel die Kirschen auf den Boden. Da kam der Hahn und wollte auch an dem Festessen teilnehmen. Knirpsschweinchen warf ihm zwar einen zornigen Blick zu, ließ ihn aber in Ruhe, und der Hahn pickte Kirschen in sich hinein, so viel er konnte. Da kamen die Hühner, Hinke-Lotta an der Spitze, und wollten sehen, was das für Leckerbissen waren, die der Hahn gefunden hatte. Aber damit war nun nichts. Sie brauchten nur die Schnäbel zu senken, und Knirpsschweinchen und der Hahn scheuchten sie ohne Erbarmen weg. Diese wirklich guten Kirschen hier, die wollten der Hahn und Knirpsschweinchen ganz für sich allein haben, das merkte man.

Michel saß dicht daneben auf dem umgedrehten Eimer. Er blies auf einem Grashalm und dachte an nichts. Da sah er

plötzlich zu seinem Erstaunen, wie der Hahn umfiel. Er machte zwar mehrere Versuche, sich aufzurichten, aber es wollte ihm nicht glücken. Sobald er es halbwegs geschafft hatte, purzelte er wieder hin, und schließlich blieb er liegen. Die Hühner, die weggejagt worden waren, standen etwas abseits auf einem Haufen und sahen zu, wie seltsam sich ihr Hahn aufführte, und sie gackerten bekümmert. Das reizte den Hahn, der da lag, und er glotzte sie böse an. Hatte er vielleicht nicht das Recht, zu liegen und herumzuschwanken, wo und wie er wollte?

Michel begriff nicht, was mit dem Hahn los war, aber er tat ihm leid. Er ging also zu ihm hin und stellte ihn auf die Beine. Ein Weilchen stand der Hahn da und wankte hin und her, wie um zu fühlen, ob ihn seine Beine trugen. Aber dann wurde er anscheinend vom Wahnsinn befallen, er krähte und flatterte übermütig mit den Flügeln und raste mit einem durchdringenden Kikeriki auf die Hühnerschar los. Da hatten es die Hühner eilig und versuchten sich schleunigst zu retten, denn sie sahen ja ganz deutlich, dass ihr Hahn wahnsinnig geworden war. Michel sah es auch, und er verfolgte das wilde Vorgehen des Hahnes so verwirrt, dass er Knirpsschweinchen vergaß. Da von Wahnsinn die Rede ist – wenn hier jemand plötzlich geradezu wahnsinnig verrückt geworden war, dann war es Knirpsschweinchen. Es wollte auch dabei sein und Hühner jagen und kam jetzt mit schrillem Grunzen, dem Hahn auf den Fersen, hinterhergesprengt. Michel wunderte sich immer mehr, er verstand das alles nicht. Knirpsschweinchen grunzte laut und wild, wie es so dahinraste, und es sah aus, als hätte es großen Spaß. Nur mit seinen Beinen – Michel konnte es sehen – stimmte etwas nicht. Die schlotterten hin und her, und es war, als hätten sie keinen festen Halt. Und sicher wäre Knirpsschweinchen auch umgefallen, wenn es nicht jedes Mal kurz vorm Hinplumpsen diesen kleinen Hopser gemacht hätte, den Michel ihm beigebracht hatte. Der Hopser half ihm, das Gleichgewicht zu halten.

Aber die Hühner konnten einem leidtun. Die hatten noch nie erlebt, dass ein Schwein sich so aufführte, und nun rannten sie um ihr Leben. Ihr entsetztes Gegacker war jammervoll anzuhören. Arme Hühner! Schlimm genug, dass ihr Hahn ver-

rückt geworden war, aber nun noch ein wildes Schwein, das ihnen mit schrecklich aufgerissenen Augen in großen Sprüngen nachsetzte, das war zu viel.

Ja, das war zu viel! Man kann vor Schreck sterben, das wusste Michel, und plötzlich sah er, wie ein Huhn nach dem anderen umfiel und reglos liegen blieb. Überall im Gras lagen die toten Hühner, still und weiß lagen sie da, ein grausiger Anblick. Michel war verzweifelt und fing an zu weinen. Was würde Mama sagen, wenn sie ihre Hühner so fand? Hinke-Lotta, seine Henne, lag auch da, ein toter weißer Klumpen. Weinend hob Michel sie auf. Ja, sie war tot, es war kein Leben mehr in ihr. Arme Hinke-Lotta, nun war es aus mit ihr und ihren vielen guten Eiern! Für Michel gab es nur noch eins zu tun: ihr so schnell wie möglich ein ehrenvolles Begräbnis zu geben. Er sah schon vor sich, was auf ihrem Grabstein stehen sollte: *Hier ruht Hinke-Lotta. In den Tod geschreckt durch Knirpsschweinchen.*

Michel war wirklich verbittert über Knirpsschweinchen.

Dieses Untier wollte er wieder in den Schweinestall sperren und nie mehr rauslassen! Hinke-Lotta aber sollte so lange im Holzschuppen liegen. Michel trug sie behutsam auf seinen Händen hinein und legte sie auf den Hauklotz. Nun konnte sie ausruhen in Erwartung ihrer Beerdigung, die arme Lotta!

Als Michel aus dem Holzschuppen kam, sah er, dass der Hahn und Knirpsschweinchen sich wieder zu den Kirschen zurückgezogen hatten. Das waren vielleicht ein paar saubere Bürschchen! Zuerst die Hühner zu Tode jagen und dann in aller Ruhe mit dem Festschmaus weiterzumachen, als sei nichts passiert! Wenigstens der Hahn hätte doch so viel Anstand besitzen sollen, dass er ein bisschen Trauer zeigte, wo er doch auf einen Schlag alle seine Frauen verloren hatte! Aber er nahm das sichtlich ruhig hin.

Das Kirschenessen hatte aber nicht mehr den rechten Schwung. Denn plötzlich fiel der Hahn wieder um und kurz darauf auch Knirpsschweinchen. Michel war so wütend auf die beiden – es interessierte ihn einfach nicht mehr, ob sie lebten oder starben, und übrigens konnte er ja sehen, dass sie nicht tot waren wie die Hühner. Der Hahn röchelte schwach und zuckte ein wenig mit den Beinen, und Knirpsschweinchen machte wohl ein Nickerchen, denn ab und zu versuchte es die Augen zu öffnen, und in ihm rasselte es.

Es lagen immer noch ziemlich viele Kirschen im Gras, und Michel kostete eine. Sie hatte nicht gerade den Geschmack einer Kirsche, aber tatsächlich, sie schmeckte eigentlich nicht schlecht. Wie konnte Mama nur auf den Gedanken kommen, dass man so gute Beeren vergraben sollte?

Ach ja, Mama! Er musste ja wohl zu ihr und ihr von dem

Unglück mit den Hühnern erzählen. Aber er hatte nicht viel Lust dazu. Nicht jetzt sofort. Nachdenklich aß er noch einige Kirschen ... und dann noch einige ... Nein, er wollte es nicht jetzt gleich machen!

Inzwischen hatte Michels Mama in der Küche das Abendbrot für die Ernteleute vorbereitet. Nun kamen sie alle, Michels Papa und Alfred und Lina und Krösa-Maja, müde und hungrig nach einem langen Arbeitstag. Sie setzten sich rund um den Küchentisch. Aber Michels Platz blieb leer, und Michels Mama fiel ein, dass es schon ziemlich lange her war, seit sie ihren Jungen zuletzt gesehen hatte.

»Lina, guck nach, ob Michel draußen bei Knirpsschweinchen ist«, sagte sie.

Lina ging hinaus, und sie blieb lange weg. Als sie endlich wieder zur Tür hereinkam, blieb sie auf der Schwelle stehen

und wartete, bis alle sie ansahen. Das Unerhörte, das sie zu erzählen hatte, sollten alle gleichzeitig hören.

»Was ist los mit dir? Warum stehst du da rum? Ist was passiert?«, fragte Michels Mama.

Lina lächelte vor sich hin.

»Ob was passiert ist? Ja, ich weiß nicht, wie ich es sagen soll ... Aber die Hühner sind jedenfalls tot! Und der Hahn ist besoffen! Und Knirpsschweinchen ist besoffen! Und was Michel angeht ...«

»Was ist mit Michel?«, fragte Michels Mama besorgt.

»Michel«, sagte Lina und seufzte schwer, »Michel ist auch besoffen!«

Das wurde ein Abend auf Katthult – man kann ihn kaum beschreiben!

Michels Papa tobte und schrie, Michels Mama weinte, Klein-Ida weinte, und Lina weinte zur Gesellschaft mit, Krösa-Maja jammerte Ach und Oh und hatte nicht einmal Zeit, ihr Abendbrot zu essen. Sie musste sofort los und allen und jedem erzählen:

»Ach, ach, ach! Die armen Svenssons auf Katthult! Michel, dieses Unglück, hat sich besoffen und alle Hühner erschlagen, ach, ach, ach!«

Alfred war der Einzige, der vernünftig blieb. Als Lina mit ihrer grässlichen Kunde gekommen war, raste er zusammen mit allen anderen hinaus und fand Michel neben Knirpsschweinchen und dem Hahn im Gras liegend. Ja, Lina hatte recht, Michel war tatsächlich richtig voll. Schwer an Knirpsschweinchen gelehnt, lag er da und verdrehte die Augen. Man

sah, dass ihm schlecht war. Michels Mama weinte verzweifelt, als sie ihren armen, unglücklichen Jungen sah, und wollte ihn sofort in die Kammer tragen. Aber Alfred, der sich in solchen Dingen auskannte, sagte:

»Es ist besser für ihn, wenn er draußen an der frischen Luft bleibt!«

Und dann saß Alfred, Michel im Arm, den ganzen Abend auf der Vortreppe der Knechtshütte. Er half ihm, wenn er sich übergeben musste, und tröstete ihn, wenn er weinte. Denn hin und wieder wachte Michel auf, und dann weinte er über seine Schlechtigkeit. Er hatte ja gehört, dass er besoffen war, nur konnte er sich nicht erklären, wie das zugegangen war. Michel wusste nicht, dass Kirschen, aus denen man Wein macht und die deshalb lange gären müssen, schließlich vollgesogen sind mit dem, wovon man betrunken wird. Deshalb hatte seine Mama auch zu ihm gesagt, er solle die Kirschen im Abfall-haufen vergraben. Aber stattdessen hatte er von ihnen geges-

sen, er und der Hahn und Knirpsschweinchen. Und darum lag
er nun wie ein Wrack hier in Alfreds Armen.

Lange lag er so. Die Sonne ging unter, es wurde dunkel, der
Mond stieg auf über Katthult, und noch immer saß Alfred da,
mit Michel in den Armen.

»Wie geht es dir, Michel?«, fragte Alfred, als er sah, dass
Michel die Augen ein bisschen bewegte.

»Ja, noch lebe ich«, sagte Michel mit matter Stimme, und
dann flüsterte er: »Aber wenn ich sterbe, dann sollst du, Alfred, den Lukas haben.«

»Du stirbst nicht«, versicherte Alfred.

Nein, Michel starb nicht und Knirpsschweinchen nicht und
der Hahn auch nicht. Und auch die Hühner nicht, das war das
Seltsamste. Es war so, dass Michels Mama Ida mitten in ihren

Sorgen nach einem Korb Holz schickte. Ida weinte, als sie hinausging, denn es war ja wirklich ein trauriger Abend, und noch mehr weinte sie, als sie in den Holzschuppen kam und Hinke-Lotta tot auf dem Hauklotz liegen sah.

»Arme Hinke-Lotta«, sagte Ida. Sie streckte ihre kleine Hand aus und streichelte Lotta. Und, man stelle sich vor, da kam Leben in Lotta! Sie schlug die Augen auf und flatterte mit einem verärgerten Gackern vom Hauklotz und hinkte wütend zur Tür hinaus. Ida stand verdutzt da und wusste nicht, was sie davon halten sollte. Hatte sie vielleicht Hände, die zaubern konnten und mit denen sie Tote zum Leben erwecken konnte?

Vor lauter Sorge um Michel hatte es niemand geschafft, sich um die Hühner zu kümmern. Sie lagen noch immer im Gras herum. Aber jetzt kam Ida und streichelte sie alle, schön der Reihe nach, und jedes Huhn sprang auf und wurde lebendig. Ja, sie waren nämlich nicht tot, sie waren nur vor Schreck ohnmächtig geworden, als Knirpsschweinchen ihnen nachgejagt war – so was tun Hühner manchmal.

Ida aber ging stolz in die Küche, wo ihre Mutter und ihr Vater saßen und sich sorgten und weinten. Jetzt hatte Ida auch Neuigkeiten, mit denen sie ankam.

»Ja, jetzt habe ich jedenfalls die Hühner von den Toten aufgeweckt«, sagte sie stolz.

Der Hahn, Knirpsschweinchen und Michel waren am nächsten Morgen wieder einigermaßen zu sich gekommen. Der Hahn konnte allerdings drei Tage lang nicht krähen. Er versuchte es dann und wann, aber es kam kein Kikeriki heraus, sondern nur ein schreckliches, rasselndes Geräusch, das ihm selber peinlich war. Die Hühner sahen ihn bei jedem Versuch vorwurfsvoll an, und da verkroch sich der Hahn unter die Büsche und schämte sich.

Knirpsschweinchen schämte sich nicht. Aber Michel wirkte den ganzen Tag etwas verschämt, und Lina ärgerte ihn.

»Sich da besoffen mit einem Schwein zusammenlegen, ja, das ist schön! Saufschweine, das seid ihr beide, du und Knirpsschweinchen, und so werde ich euch von jetzt an immer nennen.«

»Ich glaub, das lässt du lieber«, sagte Alfred und sah Lina scharf an, und da schwieg sie.

Aber damit ist die Geschichte noch nicht zu Ende. Gegen Abend schritten drei würdevolle Herren durch das Gartentor von Katthult, drei Guttempler von der Guttempler-Vereinigung Lönneberga. Ja, du weißt wohl nicht, was eine Guttempler-Vereinigung ist, aber ich kann dir sagen, dass sie damals in Lönneberga und ganz Småland sehr nötig war. Die Guttempler bemühten sich nämlich, der entsetzlichen Sauferei Einhalt zu gebieten, die früher so viele Menschen unglücklich machte und übrigens auch heute noch unglücklich macht.

Krösa-Majas Gejammer über Michels Trunkenheit hatte die Guttempler-Vereinigung in Bewegung gesetzt. Und nun kamen sie und wollten mit Michels Mama und Papa reden. Es wäre gut, meinten sie, wenn Michel zum Abendtreffen ins Guttemplerhaus käme und dort zu einem nüchternen Leben bekehrt würde. Michels Mama platzte fast vor Wut und erzählte, wie es mit Michel und den Kirschen gewesen war. Aber die drei Guttempler sahen trotzdem sehr bekümmert drein, und einer von ihnen sagte:

»Ja, aber man sieht doch schon, wohin das mit Michel führt! Es könnte nicht schaden, ihm heute Abend einen Verweis zu erteilen.«

Da stimmte Michels Papa zu. Froh war er darüber allerdings nicht. Sehr angenehm würde das nicht werden, dort so angeprangert unter allen Leuten dazustehen und sich für seinen Jungen schämen zu müssen. Aber vielleicht war es notwendig, um Michel auf nüchterne Wege zu bringen.

»Ich komme mit ihm«, murmelte Michels Papa finster.

»Nein, wenn er schon hinmuss, dann werde ich mit ihm gehen«, sagte Michels Mama; sie wurde wirklich energisch!

»Ich bin es, die diesen elenden Wein gemacht hat, und dafür sollst du, Anton, nicht leiden. Nur ich brauche diese Nüchternheitspredigt. Außerdem kann ich Michel ja mitnehmen, wenn ihr meint, dass es notwendig ist!«

Als der Abend kam, musste Michel seine Sonntagskleider anziehen. Die Mütze setzte er auch auf. Er hatte nichts dagegen, sich bekehren zu lassen. Es konnte recht lustig werden, ein bisschen unter Menschen zu kommen.

Das fand Knirpsschweinchen auch. Als Michel und seine

Mama losmarschierten, kam Knirpsschweinchen hinterher-
gerannt und wollte mit. Aber Michel sagte: »Lieg tot!«, und
Knirpsschweinchen legte sich folgsam auf den Weg und blieb
ganz still liegen, doch es guckte Michel lange nach.

An diesem Abend war das Guttemplerhaus überfüllt, kann
ich wohl sagen. Ganz Lönneberga wollte dabei sein, wenn Michel zur Nüchternheit bekehrt wurde. Vorn auf der Tribüne
hatte sich der Chor der Vereinigung aufgestellt, und als Michel zur Tür hereinkam, legten sie los und sangen aus voller
Kehle:

> »Du junger Mann hast ergriffen das Glas,
> gefüllt mit dem tödlichen Gifte ...«

»Es *war* kein Glas«, sagte Michels Mama wütend, aber das hörte nur Michel.

Als das Lied beendet war, kam ein Mann nach vorn, der lange und ernst zu Michel sprach und ihn zum Schluss fragte, ob er ein Nüchternheitsgelübde ablegen wolle, das für das ganze Leben gelten sollte.

»Das kann ich schon machen«, sagte Michel.

Genau in diesem Augenblick hörte man hinten an der Tür ein leises Grunzen, und Knirpsschweinchen kam hereingetrabt. Es war Michel still gefolgt, und hier war es nun. Als es Michel ganz vorn sitzen sah, lief es vergnügt zu ihm hin. Da entstand eine große Unruhe im Saal. Noch nie war ein

Schwein im Guttemplerhaus gewesen, und auch jetzt wollten die Guttempler dort keins haben. Bei solchen Anlässen waren Schweine nicht ganz passend, fanden sie. Aber Michel sagte:

»Knirpsschweinchen muss auch ein Nüchternheitsgelübde ablegen, es hat viel mehr Kirschen gegessen als ich.«

Knirpsschweinchen wurde jetzt ein wenig zu ausgelassen, und deshalb sagte Michel zu ihm: »Sitz brav!« Und da setzte sich Knirpsschweinchen auf die Hinterpfoten wie ein Hund, und die Leute aus Lönneberga staunten. Es sah sehr fromm und nett aus, wie es da saß. Michel holte einige getrocknete Kirschen aus seiner Hosentasche und gab sie ihm. Die Lönneberger trauten ihren Augen nicht, als das Schwein sofort die rechte Pfote hob und sich für das, was es bekommen hatte, bedankte.

Alle waren so interessiert an Knirpsschweinchen, dass sie beinahe das Nüchternheitsgelübde vergaßen. Michel selbst musste sie daran erinnern.

»Wie ist das nun, soll ich was geloben oder nicht?«

Und dann gelobte Michel, er wolle sich »für alle Zeiten der starken Getränke enthalten und auf jede Weise für eine zu-

nehmende Nüchternheit unter seinen Mitmenschen wirken«. Diese feinen Worte bedeuteten, dass Michel niemals in seinem Leben Alkohol trinken wollte und anderen Menschen dabei helfen sollte, auch nüchtern zu bleiben.

»Das, Knirpsschweinchen, das gilt auch für dich«, sagte Michel, als er gelobt hatte, und nachher sagten alle Lönneberger, dass außer Michel niemals jemand ein Nüchternheitsgelübde mit einem Schwein zusammen abgelegt hätte.

»Aber dieser Katthult-Junge, der ist ja auch zu merkwürdig«, sagten sie.

Als Michel nach Hause kam und mit Knirpsschweinchen auf den Fersen in die Küche ging, saß da sein Papa ganz allein, und im Schein der Petroleumlampe konnte Michel sehen, dass er geweint hatte. Nie zuvor in seinem Leben hatte Michel seinen Vater weinen sehen, und es gefiel ihm gar nicht. Aber dann sagte sein Papa etwas, was ihm umso mehr gut gefiel.

»Hör mal, Michel«, sagte er. Er fasste Michel fest am Arm und sah ihm gerade in die Augen. »Michel, wenn du mir versprichst, in deinem ganzen Leben nüchtern zu bleiben, dann bekommst du dieses verflixte Schwein … Ich kann mir übrigens nicht denken, dass es besonders gutes Fleisch auf den Knochen hat – nach all diesem Gehopse und diesem Besäufnis.«

Michel freute sich so, dass er einen Luftsprung machte. Er gelobte noch einmal, sein Leben lang nüchtern zu bleiben. Das Gelübde hielt er auch. Einen so nüchternen Gemeinderatspräsidenten, wie Michel es wurde, hatten sie in Lönneberga und ganz Småland nie zuvor gesehen, und deshalb war es vielleicht gar nicht so schlecht gewesen, dass Michel an einem Sommertag, als er klein war, gegorene Kirschen gegessen hatte.

An diesem Abend lag Michel noch lange wach und redete mit Ida.

»Jetzt habe ich ein Pferd, eine Kuh und ein Schwein und ein Huhn«, sagte er.

»Das Huhn hab ich von den Toten aufgeweckt«, erinnerte Klein-Ida ihn, und Michel bedankte sich dafür bei ihr.

Am nächsten Morgen wachte er früh auf und hörte Alfred und Lina in der Küche reden, die beim Kaffeetrinken waren. Er sprang aus dem Bett, denn er musste ja Alfred erzählen, dass er Knirpsschweinchen geschenkt bekommen hatte.

»Viehbesitzer Michel Svensson«, sagte Alfred da und lachte ein bisschen. Aber Lina warf den Kopf zurück und stimmte ein Spottlied an, das sie sich gerade eben ausgedacht hatte, als sie beim Melken war. Sie sang:

»Aber seine Mutter zog mit ihm zum Guttemplerhaus,
und da wurd ein Mensch aus dem Säuferschwein.
Jetzt hat er versprochen, ewig nüchtern zu sein,
und nun hat er das Schwein, das er vorher selber war.«

Ein dümmeres Lied kann man sich nicht vorstellen. »Und nun hat er das Schwein, das er vorher selber war«, das ist so dumm, dass nur Lina es sich ausdenken konnte. Sie verstand es eben nicht besser.

Und dann war es Zeit für Alfred und Lina, sich zusammen mit Michels Papa und Krösa-Maja wieder auf den Weg zum Roggenfeld zu machen.

Michels Mama blieb mit den Kindern allein zu Hause. Sie

war damit ganz zufrieden, denn heute wollte Frau Petrell kommen und ihre Weinflaschen abholen, und Michels Mama wollte nicht gern, dass Michels Papa dann in der Nähe war!

Wenn die Flaschen nur erst aus dem Hause wären, dachte Michels Mama, während sie sich in der Küche beschäftigte. Frau Petrell konnte jeden Augenblick kommen. Gleich müsste sie das Geräusch der Wagenräder vom Weg her hören. Aber seltsam, es war ganz etwas anderes, was sie hörte – ein Lärm vom Kartoffelkeller wie von zerspringendem Glas.

Sie guckte aus dem Fenster und sah Michel. Er hatte den Schürhaken in der Hand, eine Reihe Weinflaschen vor sich. Eine nach der anderen zerschlug er, dass die Splitter flogen und der Wein floss.

Michels Mama riss das Fenster auf und schrie:

»Was in aller Welt machst du da, Michel?«

Michel unterbrach sein Werk nur kurz, um seiner Mutter zu antworten:

»Ich arbeite für die Nüchternheit. Ich dachte, dass ich mit Frau Petrell anfange!«

Einige Tage aus Michels Leben,

an denen er zum Teil allen möglichen Kleinunfug machte, zum Teil aber auch gute Sachen

An diesen verruchten Kirschwein erinnerte man sich in Lönneberga noch lange. Michels Mama aber wollte ihn so schnell wie möglich vergessen. In dem blauen Schreibheft erwähnte sie mit keinem Wort, wie es an diesem unglückseligen 10. August um Michel stand. Es war wohl allzu schrecklich, und sie brachte es nicht übers Herz, es aufzuschreiben. Aber am 11. August machte sie eine kleine Eintragung, und wenn man ohne vorherige Warnung liest, was sie da geschrieben hat, dann ist es unvermeidlich, dass man zusammenzuckt.

»Gott steh mir bei mit diesem Jungen, aber heute war er wenigstens nüchtern.« So steht es geschrieben. Kein Wort mehr. Was soll man nun glauben? Man muss ja geradezu annehmen, dass sich Michel selten in nüchternem Zustand befand. Ich finde wirklich, Michels Mama hätte erzählen sollen, wie das alles zusammenhing. Aber sie konnte es wohl, wie gesagt, nicht übers Herz bringen.

Am 15. August findet sich auch eine Aufzeichnung. Da schrieb sie Folgendes: »Heute Nacht waren Michel und Alfred draußen, um Krebse zu fangen. Sie fingen 33 Dutzend. Aber nachher dann, ja, armes Herze …«

Dreiunddreißig Dutzend – hat man schon jemals so etwas gehört? Das ist eine Heidenmenge Krebse. Rechne selbst nach, dann wirst du wissen, wie viel Stück es waren. Da hatte Michel eine fröhliche Nacht, kann ich dir sagen. Und wenn du einmal in einer dunklen Augustnacht dabei gewesen bist und in einem kleinen Smålandsee Krebse gefangen hast, dann weißt du, warum. Dann weißt du, wie lustig es war und wie nass man wurde und wie seltsam man sich fühlt. Uh, es ist so dunkel, um den See steht schwarz der Wald, alles ist still, man hört nur, wie einem das Wasser um die Beine plätschert, wenn man am Ufer entlangwatet.

Wenn man wie Michel und Alfred eine Fackel hat, dann sieht man die Krebse, groß und schwarz, auf dem Grund des Sees zwischen den Steinen herumkriechen, und man steckt nur die Hand ins Wasser und packt einen nach dem anderen am Rücken und stopft sie in den Sack.

Als Michel und Alfred im Morgengrauen nach Hause wanderten, hatten sie mehr Krebse, als sie eigentlich tragen konnten, aber Michel pfiff und sang trotzdem.

Jetzt wird Papa aber staunen, dachte er. Michel wollte seinem Papa so gern zeigen, wie tüchtig er war, wenn es ihm auch oft missglückte. Jetzt wollte er, dass sein Papa all die vielen Krebse sah, sobald er aufwachte. Deshalb nahm Michel die große Kupferwanne, in der Ida und Michel samstags abends immer badeten, und schüttete die Krebse hinein. Dann stellte er die Wanne in die Schlafkammer neben Papas Bett.

Das wird ein Jubelgeschrei geben, wenn sie alle aufwachen und meine Krebse sehen, dachte Michel. Dann kroch er müde, aber glücklich in sein Bett und schlief ein.

In der Kammer war alles still. Von Michels Papa waren nur kleine pfeifende Schnarchtöne zu hören. Und außerdem das schwache Rasseln der Krebse, die übereinanderkrochen, wie Krebse es so machen.

Michels Papa stand jeden Morgen sehr früh auf, und das tat er auch an diesem Tag. Sobald die Wanduhr in der Kammer fünfmal geschlagen hatte, warf er die Bettdecke beiseite, hängte die Beine über die Bettkante und blieb ein Weilchen sitzen, um zu sich zu kommen. Er reckte sich, gähnte, strubbelte sich in den Haaren herum und wackelte ein bisschen mit den Zehen. Der linke große Zeh war einmal in einer Mausefalle gefangen gewesen, die Michel aufgestellt hatte, und seitdem war der Zeh etwas steif und musste morgens geschmeidig gemacht werden. Aber wie Michels Papa so dasaß und den Zeh bewegte, stieß er plötzlich ein Gebrüll aus, dass Michels Mama und Klein-Ida entsetzt aus dem Schlaf fuhren. Sie glaubten, dass Michels Papa mindestens ermordet wurde. Und dabei war es nur ein Krebs, der sich an dem großen Zeh, der einmal in der Mausefalle gesteckt hatte, festkniff. Wenn du einmal deinen großen Zeh in den Scheren eines Krebses gehabt hast, dann weißt du, dass es ungefähr so angenehm ist, wie ihn in einer Mausefalle zu haben – man kann schon wegen weniger brüllen. Krebse sind eigensinnige Biester, sie hängen fest auf Leben und Tod und kneifen fester und fester zu. Kein Wunder, dass Michels Papa schrie! Das taten übrigens Michels Mama und Klein-Ida auch, denn jetzt sahen sie die Krebse, die zu Hunderten auf dem Boden herumkrabbelten. Ja, ja, es gab ein Jubelgeschrei, das ausreichte.

»Michel!«, schrie Michels Papa mit der vollen Kraft seiner Lungen. Erstens, weil er wütend war, und zweitens, weil er eine Kneifzange brauchte, um damit den Krebs abzuzwicken, und Michel sollte sie holen. Aber Michel schlief und war durch keinerlei Jubelgeschrei zu wecken. Michels Papa musste also auf einem Bein selbst zum Werkzeugkasten in die Küche hüpfen und die Zange holen. Als Klein-Ida ihn so über den Boden hopsen sah, den Krebs immer noch hartnäckig an seinem großen Zeh schaukelnd, da schnitt es ihr ins Herz – bei dem Gedanken, was Michel versäumte.

»Wach auf, Michel«, schrie sie, »wach auf! Dann kannst du etwas Lustiges sehen!«

Sie schwieg aber sofort wieder, denn der Papa hatte ihr einen finsteren Blick zugeworfen, und man merkte, dass er nicht begriff, was da so lustig war.

Unterdessen kroch Michels Mama auf dem Boden herum und sammelte Krebse. Nach zwei Stunden hatte sie alle erwischt. Als Michel endlich am Vormittag erwachte, roch er nur den himmlischen Duft von frisch gekochten Krebsen, der aus der Küche kam, und das brachte ihn freudig auf die Beine.

Drei Tage lang wurden auf Katthult Krebse gegessen – eine wahre Wonne. Außerdem hatte Michel eine entsetzliche Menge Krebsschwänze aus den Schalen gelöst und sie der Frau Pastor im Pfarrhaus für fünfundzwanzig Öre das Liter verkauft. Den Verdienst hatte er gerecht mit Alfred geteilt. Alfred, der stets knapp bei Kasse war, fand, dass Michel bemerkenswerte Ideen habe.

»Michel, in Geschäften bist du schlau«, sagte er und sprach damit ein wahres Wort. Michel hatte schon fünfzig Kronen in seinem Sparschwein, die er sich mal so und mal so zusammenverdient hatte.

Eine Zeit lang grübelte er über ein richtig großes Geschäft nach. Er wollte alle seine Holzmännchen an Frau Petrell verkaufen, weil sie so entzückt von ihnen war. Glücklicherweise wurde nichts daraus. Die Holzmännchen durften auf dem Regal stehen bleiben, und dort stehen sie noch heute. Frau Petrell wollte wahrhaftig auch Michels Holzgewehr kaufen und es an einen kleinen unartigen Jungen verschenken, den sie kannte, aber auch daraus wurde nichts.

Gewiss, Michel fand selbst, dass er nun zu groß wurde, um noch damit zu spielen, aber verkaufen wollte er seine Büsse auch wieder nicht. Er nagelte sie stattdessen an die Wand im Tischlerschuppen und schrieb mit Rotstift darüber:

ANDENKEN VON ALFRED

Alfred lachte, als er das sah, aber es gefiel ihm, das merkte man.

Die Müsse hatte Michel zum ständigen Gebrauch behalten, ohne sie konnte er nicht sein. Er setzte sie auch auf, als er das erste Mal zur Schule ging. Ja, für Michel war es jetzt Zeit, dass er in die Schule kam, und ganz Lönneberga hielt den Atem an.

Lina versprach sich nicht viel von Michels Schulbesuch.

»Sicher kippt er das Schulhaus um und legt Feuer an die Lehrerin«, sagte sie, aber da sah Michels Mama sie streng an.

»Michel ist ein netter kleiner Junge«, sagte sie. »Er hätte neulich zwar beinahe die Frau Pastor in Brand gesteckt, aber dafür hat er schon im Tischlerschuppen gesessen. Das ist also nichts, worauf du jetzt noch herumhacken musst!«

Es war der 17. August gewesen, als Michel wegen der Frau Pastor im Tischlerschuppen sitzen musste. An dem Tag war sie nämlich nach Katthult gekommen, um sich ein Webmuster von Michels Mama zu holen. Sie wurde zum Kaffee in die Fliederlaube eingeladen, und dort wollte sie sich das Webmuster ansehen. Sie hatte schwache Augen, und deshalb nahm sie ein Vergrößerungsglas aus ihrer Handtasche. So ein Ding hatte Michel noch nie gesehen, und er interessierte sich sehr dafür.

»Du kannst es gern einmal haben«, sagte die Frau Pastor in ihrer Einfalt. Sie wusste wohl nicht, dass Michel mit allem Unfug machen konnte, und ein Vergrößerungsglas war nicht das Schlechteste. Michel erkannte bald, dass man es als Brennglas benutzen konnte. Wenn die Sonne auf das Glas schien, sammelten sich die Strahlen in einem Punkt, der leuchtete und glühte. Michel sah sich nach etwas richtig Brennbarem um, etwas, was sich in Brand stecken ließe. Die Frau Pastor saß ganz still da und redete und redete mit seiner Mama. Ihren Kopf hielt sie ganz ruhig. Die zerzausten Straußenfedern auf ihrem feinen Hut sahen ziemlich feuerempfindlich aus, und Michel versuchte es. Nicht, weil er glaubte, es könnte glücken – man müsste es versuchen, fand er, denn wie sonst sollte man etwas lernen auf dieser Welt.

Das Ergebnis seines Versuchs wird in dem blauen Schreibheft so beschrieben:

»Auf einmal fing's an, um die Pastorin zu räuchern und zu qualmen, ja, aber Feuer haben die Federn nicht gefangen. Es gab nur Rauch. Und ich hab gedacht, nun würde Michel besser werden, wo er doch Guttempler geworden ist. Ja, schön

wär's. Der Herr Guttempler saß den Rest des Tages im Tischlerschuppen, ja, ja, so ist es.«

Am 25. August kam Michel in die Schule. Wenn die Lönneberger gedacht hatten, dass er sich dort in der Erde verkrie-
chen würde, dann waren sie auf dem Holzweg. Die Lehrerin
ahnte wohl als Erste, dass dort in der Bank dicht am Fenster
ein angehender Gemeinderatspräsident saß. Höre und staune:
Michel wurde der Beste in der Klasse! Lesen konnte er schon,
als er hinkam, ein bisschen schreiben übrigens auch, und rechnen lernte er schneller als alle anderen. Natürlich machte er
Unfug, aber nicht mehr, als die Lehrerin aushalten konnte. Na
ja, einmal geschah es, dass er sie mitten auf den Mund küsste.
Darüber redeten sie in Lönneberga auch noch lange.

Es passierte so: Michel stand vorn an der Tafel und hatte
wirklich schwere Zahlen zusammengerechnet, und als das
klar war, sagte die Lehrerin:

»Gut, Michel, du kannst dich wieder setzen!«

Das tat er auch. Im Vorbeigehen beugte er sich aber über
die Lehrerin, die am Katheder saß, und gab ihr einen richtigen
Kuss mitten auf den Mund. So etwas hatte sie noch nie erlebt,
und sie wurde rot und stotterte:

»Michel, warum ... warum ... hast du das getan?«

»Das tat ich wohl in meiner Güte«, sagte Michel, und es
wurde nachher so gut wie ein Sprichwort in Lönneberga.

»Das tat ich in meiner Güte, sagte der Katthult-Junge, als er
die Lehrerin küsste«, pflegten sie zu sagen und sagen es vielleicht heute noch, was weiß ich.

In der Pause danach kam einer der großen Jungen und
wollte Michel damit aufziehen.

»Du küsst also die Lehrerin«, sagte er und grinste höhnisch.

»Ja«, sagte Michel, »willst du, dass ich es noch einmal tue?«
Aber das tat er nicht. Es geschah nur einmal und nie wieder.
Und die Lehrerin war Michel nicht böse wegen des Kusses,
nicht im Entferntesten.

Es gab noch mehr, was Michel in seiner Güte tat. In der
Pause rannte er ins Armenhaus hinüber und las Stolle-Jocke
und den anderen aus der »Småland-Zeitung« vor. Glaub also
nicht, dass Michel nicht auch Gutes in sich hatte.

Im Armenhaus fanden sie jedenfalls, dass es die beste Stunde des Tages war, wenn Michel kam, und sie freuten sich, Stolle-
Jocke und Johann-Ein-Öre und Kalle-Karo und Unken-Ulla
und wie die armen Menschen alle hießen. Stolle-Jocke bekam
vielleicht nicht alles so gut mit, denn als Michel ihm vorlas,
dass am kommenden Samstag im Stadthotel ein großer Ball
stattfinden sollte, da faltete Stolle-Jocke die Hände und sagte
andächtig:

»Amen, Amen, ja, ja, so soll es geschehen!«

Aber die Hauptsache war ja, dass Stolle-Jocke und die anderen Freude daran hatten, dazusitzen und zu hören, wie Michel vorlas. Nur die Maduskan mochte es nicht. Wenn Michel kam, dann schloss sie sich in ihrem Zimmer auf dem Dachboden ein, denn sie hatte ja damals in der Wolfsgrube gesessen, die Michel gegraben hatte, und das vergaß sie nicht.

Jetzt wirst du vielleicht unruhig und glaubst, dass Michel keine Zeit mehr für Unfug hatte, seit er in die Schule ging. Du kannst unbesorgt sein! Zu der Zeit, als Michel klein war, siehst du, war nämlich nur jeden zweiten Tag Schule, welch ein Glück!

»Was machst du denn gerade so?«, fragte Stolle-Jocke eines Tages, als Michel kam und ihm aus der Zeitung vorlesen wollte.

Michel dachte nach und antwortete dann wahrheitsgetreu:

»Den einen Tag mache ich Unfug und den anderen Tag gehe ich zur Schule.«

Sonntag, der 14. November,

als auf Katthult die Glaubensbefragung stattfand und Michel seinen Vater in der Trissebude einsperrte

Immer grauer und dunkler wurden die Tage auf Katthult und Lönneberga und ganz Småland. Es wurde Herbst, mehr und mehr Herbst.

»Hui, wie nasskalt«, sagte Lina, wenn sie morgens um fünf Uhr in den Stall und in die Dunkelheit hinausmusste. Natürlich hatte sie die Stalllaterne, aber die flackerte so einsam und armselig in all dem Grau. Grau, grau war der ganze Herbst, ein einziger langer grauer Alltag. Nur hin und wieder ein Schmaus und die Glaubensbefragung waren kleine bescheidene Lichter in der Dunkelheit.

Du weißt wohl nichts von der Glaubensbefragung, wie ich mir denken kann, aber zu jener Zeit war es so, dass die Leute einigermaßen Bescheid wissen mussten über das, was in der Bibel steht und im Katechismus. Deshalb sollte der Pastor von Zeit zu Zeit Befragungen machen, um festzustellen, wie viel sie wussten, und zwar nicht nur die Kinder, die man ohnehin mit Fragen zu plagen pflegt, sondern alle in der Gemeinde, die Großen und Kleinen. Diese Glaubensbefragungen fanden reihum auf allen Höfen in Lönneberga statt, und wenn auch die Befragung selbst nicht so lustig war, der anschließende Schmaus war dafür umso besser. Jeder aus der Gemeinde durfte dabei sein, sogar die Leute aus dem Armenhaus. Von denen kamen auch alle, die es schafften, sich hinzuschleppen. Denn wenn eine Glaubensbefragung war, durfte jeder essen, bis er platzte, und die meisten fanden, das sei eine gute Sache.

An einem Tag im November sollte auf Katthult Glaubensbefragung sein, und das munterte alle auf, besonders Lina, denn sie mochte Glaubensbefragungen.

»Ja, wenn auch nicht alle diese Fragen«, sagte sie. »Manchmal weiß ich gar nicht, was ich antworten soll.«

Und sicher ist, dass Lina nicht so besonders heimisch in der Bibel war. Das wusste der Pastor, und er stellte ihr deshalb ganz leichte Fragen, denn er war ein freundlicher Mann. Nun hatte er lang und breit von Adam und Eva erzählt, die im Garten Eden gewohnt hatten und die ersten Menschen auf Erden gewesen waren, und er glaubte natürlich, dass alle, sogar Lina, es begriffen hätten, und als jetzt Lina an der Reihe war, fragte er ganz freundlich:

»Na, Lina, wie hießen also unsere Ureltern?«

»Thor und Freya«, sagte Lina, ohne zu zögern, und Michels Mama bekam vor Ärger über diese dumme Antwort einen roten Kopf. Thor und Freya waren doch zwei alte Götter, an die die Leute in Schweden vor über tausend Jahren geglaubt hatten, bevor sie auch nur die geringste Ahnung von der Bibel hatten.

»Du bist und bleibst ein Heide«, sagte Michels Mama nachher zu Lina, aber Lina verteidigte sich:

»Die rühren so viel zusammen! Warum soll gerade ich Ordnung in alles bringen?«

Der Pastor aber war wie immer bei der Befragung nach-

sichtig. Er tat, als habe Lina nicht falsch geantwortet, sondern erzählte stattdessen davon, wie Gott die Erde und alle Menschen, die auf ihr wohnten, geschaffen hatte und wie wunderbar seine Schöpfung doch war.

»Auch du, Lina, bist ein richtiges Wunderwerk«, versicherte der Pastor, und er fragte Lina, ob sie das einmal bedacht habe und ob sie nicht glaube, es sei etwas Besonderes, dass Gott sie geschaffen habe.

Lina sagte, das glaube sie – aber dann besann sie sich.

»Ja, natürlich, aber mich zu machen war wohl nichts Besonderes. Bloß all diese Schnörkel, die ich in den Ohren habe, ich glaube, die zusammenzubekommen, das war bestimmt eine lausige Arbeit!«

Da wurde Michels Mama wieder rot, denn es schien ihr, als würde Schande über ganz Katthult gebracht, wenn Lina so dumm antwortete. Und es wurde nicht besser, als hinten aus Michels Ecke ein kurzes helles Lachen aufstieg. Die arme Mama, bei Glaubensbefragungen *durfte* nicht gelacht werden. Michels Mama saß da und schämte sich und fühlte sich erst wieder wohl, nachdem die Befragung endlich zu Ende war und man mit der Schmauserei anfangen konnte.

Michels Mama hatte reichliches und gutes Essen zubereitet, wie immer zu ihren Festessen, obwohl Michels Papa versucht hatte, sie davon abzuhalten.

»Es sind doch wohl die Bibel und der Katechismus, die wichtig sind. Aber du verlagerst es auf Fleischklöße und Käsekuchen!«

»Alles zu seiner Zeit«, sagte Michels Mama. »Katechismus zu seiner Zeit und Käsekuchen zu seiner Zeit.«

Ja, der Käsekuchen kam wirklich zu seiner Zeit, und sie aßen und fühlten sich wohl, alle, die zur Glaubensbefragung auf Katthult waren. Michel aß auch Käsekuchen, ganze Fuhren, mit Kompott und Sahne dazu. Gerade als er alles aufgegessen hatte, kam seine Mama und sagte:

»Du, Michel, sei so nett, geh und sperr die Hühner ein!«

Die Hühner liefen den ganzen Tag frei herum. Wenn der Abend kam, musste man sie aber einsperren, weil der Fuchs nachts um die Hausecken schlich.

Jetzt war es beinahe dunkel, und es regnete, aber Michel fand es trotzdem angenehm, eine Weile von der Stubenwärme, dem Gerede und den Käsekuchen weg zu sein. Fast alle Hühner saßen schon im Hühnerhaus auf ihren Stangen, nur Hinke-Lotta und ein paar andere übergeschnappte Hühner spazierten noch draußen im Regen herum. Aber Michel scheuchte sie hinein und verriegelte die Tür ordentlich. Jetzt konnte der Fuchs kommen, wenn er wollte. Neben dem Hühnerstall

lag der Schweinestall. Michel sah schnell zu Knirpsschweinchen hinein und versprach ihm zum Abend einen Festschmaus.

»Es bleibt immer etwas auf den Tellern übrig, wenn die Ge-
fräßigen satt sind«, sagte Michel, und Knirpsschweinchen
grunzte erwartungsvoll.

»Ich komm bald wieder«, sagte Michel und schob auch an
der Schweinestalltür den Riegel ordentlich vor.

Hinter dem Schweinestall lag der Lokus, ja, so sagte man
damals. Du findest vielleicht, dass es kein besonders feines
Wort ist, aber da hättest du mal hören müssen, was für ein
Wort Alfred gebrauchte. Er nannte es geradeheraus ein ... na
ja, das brauche ich dir ja nicht beizubringen. Der Lokus auf
Katthult hatte aber auch einen vornehmeren Namen. Er wurde
die Trissebude genannt, nach einem Knecht mit Namen Trisse,
der einmal vor langer Zeit, zur Zeit von Michels Großvater,
dieses kleine, unentbehrliche Häuschen gebaut hatte.

Michel hatte die Hühnerstalltür verriegelt, und er hatte die
Schweinestalltür verriegelt, und da er nun schon mal beim Ver-
riegeln war, verriegelte er auch die Trissebudentür. Das war
bestimmt gedankenlos getan. Er hätte sich ja denken können,
dass jemand da drinnen saß, weil die Tür auf der Außenseite
nicht verriegelt war. Aber Michel hatte seine Gedanken eben
nie beisammen. Im Handumdrehen verriegelte er die Tür und
lief dann leichtfüßig davon. Dabei sang er:

»Jetzt hab ich verriegelt, jetzt hab ich verriegelt, alles hab
ich jetzt verriegelt!«

Sein Papa, der in der Trissebude saß, hörte den fröhlichen
Gesang und bekam es mit der Angst zu tun. Er fuhr hoch und
rüttelte an der Tür.

Tatsächlich! Besser hätte sie nicht verriegelt werden können, und Michels Papa brüllte:

»Michel!«

Aber Michel war ja schon davongehüpft, und er sang sein
»Jetzt hab ich verriegelt« so laut und so begeistert, dass er
überhaupt nichts hörte.

Der arme Papa, er wurde so wütend, dass er kaum noch Luft
bekam. Das hier war ja wohl der Gipfel! Wie in aller Welt sollte
er hier herauskommen? Er hämmerte wild an der Tür, er schlug
und bummerte. Aber was half es? Schließlich fing er an zu tre-
ten. Er trat so gegen die Tür, dass sich seine Zehen krümmten,
aber dieser Trisse hatte seine Sache damals gut gemacht, es war
eine sehr stabile und gute Tür, die nicht im Geringsten nachgab.
Michels Papa wurde immer wilder. Er fing an, in den Taschen
nach seinem Klappmesser zu wühlen. Er würde doch wohl we-

nigstens, dachte er, eine Ritze in die Tür bohren können, groß
genug, dass er die Messerspitze hindurchbekam, um den Riegel dann hochzuschieben. Aber das Klappmesser steckte in
seinen Alltagshosen, und heute hatte er ja seine Sonntagssa-
chen an. Eine Zeit lang stand Michels Papa da und kochte vor
Wut. Nein, er fluchte nicht, er war ja Kirchenältester und alles,
aber er zischte doch so allerhand über Michel und diesen Trisse,
der nicht einmal ein anständiges Fenster in der Trissebude zu-
stande bekommen hatte, sondern nur eine enge kleine Luke
oben über der Tür! Michels Papa stierte böse auf die Luke, die
allzu winzig war, und gab der Tür noch einige gewaltige Tritte.
Und dann setzte er sich hin, um abzuwarten.

Es gab nicht weniger als drei Sitzplätze in der Trissebude,
und auf einem davon ließ er sich nieder. Da saß er nun, knirschte mit den Zähnen und wartete blutrünstig darauf, dass end-

lich jemand kommen würde, jemand, der auch Geschäfte in der Trissebude verrichten musste.

Und der kann einem leidtun, denn den Ersten, der kommt, den bringe ich um, dachte er, und das war eigentlich ungerecht und nicht besonders nett von Michels Papa. Aber man muss ja auch verstehen, dass er wirklich wütend war.

Über die Trissebude senkte sich die Dunkelheit. Michels Papa saß da und wartete und wartete – aber niemand kam. Er hörte den Regen aufs Dach trommeln, es war ein trostloses Geräusch. Er wurde wütender und wütender. Nein, sollte er hier einsam und im Dunkeln herumsitzen, während alle anderen da drinnen bei Licht und guter Laune zusammensaßen und auf seine Kosten schmausten! Nein, damit musste jetzt Schluss sein! Raus wollte er, raus! Und sei es durch die Luke!

»Denn jetzt bin ich wütend«, sagte er laut und erhob sich von seinem Sitzplatz.

In der Trissebude stand eine Kiste mit alten Zeitungen. Er stellte sie hochkant und stieg hinauf. Ja, das hier war hoch genug. So weit war alles gut, den kleinen Fensterrahmen nahm er ohne Schwierigkeiten heraus, steckte den Kopf aus der Luke und hielt Ausschau nach Hilfe.

Hilfe war nicht zu sehen, stattdessen traf ihn ein Regenguss mit voller Kraft in den Nacken. Reichlich viel davon rann in seinen Hemdkragen, und das ist eine der unangenehmsten Stellen zum Auffangen von Regengüssen. Jetzt aber war Michels Papa durch nichts mehr zu bremsen. Selbst wenn sich die Sintflut über ihn ergießen sollte – er wollte raus!

Mit großer Mühe zwängte er Arme und Schultern durch die Luke, und dann arbeitete er sich Stück für Stück weiter.

Wenn man nur richtig wütend ist, dann geht alles, dachte er.
Aber genau da blieb er plötzlich stecken! Und zwar total! Er
strengte sich so an, dass er blau im Gesicht wurde, er stieß mit
den Füßen, schlenkerte wie wild mit den Armen und erreichte
damit nur, dass die Kiste umfiel und er dann, ohne einen Halt
für seine Füße, dahing und weder vorwärts noch rückwärts
konnte – der arme Mann!

Was macht nun ein Kirchenältester, der mit dem Vorderteil
draußen im Regenschauer und mit dem Hinterteil innen im
Lokus hängt? Schreit er um Hilfe? Nein, das tut er nicht! Nein,
denn er kennt die Lönneberger. Er weiß genau, wenn das hier
in der Gemeinde ruchbar wird, dann gibt es ein schallendes
Gelächter, und das wird nicht aufhören, solange noch einer
lebendig ist in Lönneberga und ganz Småland. Um Hilfe ruft
er *nicht*!

Michel, der zufrieden und froh zum Festessen zurückgekehrt war, tat inzwischen sein Bestes, um Klein-Ida zu unterhalten. Sie fand so eine Befragung langweilig, darum nahm er sie mit hinaus in den Flur, und dort probierten sie Galoschen an. Die standen da in langen Reihen, große und kleine, und Ida kicherte begeistert, als Michel in den Galoschen des Pastors herumstelzte und »demzufolge« und »darüber hinaus« sagte, genau wie der Pastor. Aber schließlich lagen im ganzen Flur verstreut Galoschen herum, und Michel, ordentlich, wie er war, stapelte sie zu einem Haufen auf. Es wurde ein richtiger Berg, mitten im Flur.

Dann fiel ihm plötzlich ein, dass er ja Knirpsschweinchen für den Abend einen Festschmaus versprochen hatte. Er machte einen Abstecher in die Küche, kratzte ein paar Reste in eine Schüssel zusammen, und mit der Schüssel in der einen Hand und der Stalllaterne in der anderen zog er hinaus in Regen und Dunkelheit, um sein kleines Schwein aufzumuntern.

Und da – oh, ich zittere, wenn ich daran denke! –, da erblickte er seinen Vater! Und sein Vater erblickte ihn! Oh, oh,
oh, was doch manchmal alles geschehen kann!

»Hol – sofort – Alfred!«, zischte sein Papa. »Und sag ihm, er
soll ein Kilo Dynamit mitbringen, denn jetzt wird die Trissebude in
die Luft gesprengt!«

Michel lief, und Alfred kam. Ohne Dynamit – das hatte Michels Papa wohl nicht im Ernst gemeint –, aber mit einer Säge.
Ja, Michels Papa musste herausgesägt werden, anders ging es
nicht.

Und während Alfred sägte, stand Michel auf einer kleinen
Leiter und hielt vorsorglich einen Schirm über seinen armen
Papa, um den Regen abzuhalten. Du verstehst sicher, dass Mi-
chel da auf der Leiter keine besonders heitere Stunde hatte.
Sein Papa tobte die ganze Zeit unter dem Schirm und sprach

davon, was er mit Michel machen wollte, sobald er freigekommen sei. Und er war auch nicht im Geringsten dankbar für Michels Fürsorglichkeit mit dem Schirm. Was nutzte das auch, wo er doch schon bis auf die Haut nass war und sich auf jeden Fall erkältete und ganz sicher eine Lungenentzündung bekam!

Aber Michel sagte: »Nein, du wirst dich nicht erkälten. Die Hauptsache ist, dass man trockene Füße behält!«

Das fand Alfred auch.

»Es stimmt! Hauptsache, man behält trockene Füße.«

Und natürlich hatte Michels Papa trockene Füße, das konnte er nicht abstreiten, aber er war weit entfernt davon, deshalb zufrieden zu sein, und Michel zitterte vor dem Augenblick, in dem sein Papa freikommen würde.

Alfred sägte, dass die Späne flogen, und Michel war sprungbereit. In dem Augenblick, als Alfred mit dem Sägen fertig war und Michels Papa mit einem Plumps heruntersauste, genau in dem Augenblick warf Michel den Regenschirm weg und setzte sich in vollem Galopp zum Tischlerschuppen

ab. In letzter Sekunde huschte er hinein und schob den Riegel vor, ehe sein Papa ihn erreichen konnte. Aber mag sein, dass sein Vater es leid war, vor verschlossenen Türen zu stehen und dagegenzuhämmern, jedenfalls knurrte er Michel nur ein paar Schimpfworte zu, und dann verschwand er. Vor allem musste er sich ja jetzt beim Festessen sehen lassen, und da galt es zuerst, sich in die Kammer zu schleichen, um trockene Sachen anzuziehen.

»Wo bist du so lange gewesen?«, fragte Michels Mama ihren Mann richtig ärgerlich.

»Darüber werden wir später reden«, sagte Michels Papa dumpf.

Und dann war die Glaubensbefragung auf Katthult beendet. Der Pastor begann den üblichen Psalm, und die Lönneberger fielen mit voller Stimme ein:

»So geht ein Tag dahin, und nimmer kehrt er wieder«, sangen sie.

Danach brachen sie alle auf, um durch die Novemberdunkelheit nach Hause zu gehen. Aber als sie in den Flur kamen, um ihre Mäntel anzuziehen, war das Erste, was sie im schwachen Schein der Petroleumlampe sahen, ein Berg von Galoschen mitten auf dem Fußboden.

»Was für ein Unfug! Das kann nur Michel gewesen sein«, sagten die Lönneberger. Und dann saßen sie alle, einschließlich Pastor und Pastorin, zwei Stunden lang da und suchten ihre Galoschen heraus. Schließlich sagten sie ziemlich sauer Danke und Auf Wiedersehen und verschwanden im Regen.

Michel konnten sie nicht Auf Wiedersehen sagen, denn er saß ja im Tischlerschuppen und schnitzte gerade sein einhundertvierundachtzigstes Holzmännchen.

Sonntag, der 18. Dezember,

als Michel eine Heldentat vollbrachte, dass ganz Lönneberga jubelte und alle seine Streiche vergeben und vergessen wurden

W eihnachten kam näher. Eines Abends saßen sie alle auf
Katthult in der Küche, und jeder hatte seine Beschäftigung. Michels Mama trat das Spinnrad, Michels Papa flickte Schuhe, Lina kämmte Wolle, Michel und Alfred schnitzten Zinken für den Holzrechen, und Klein-Ida spielte ein lustiges Fingerspiel auf Linas Rücken. Sie blieb hartnäckig dabei, obwohl es Lina bei der Arbeit störte.

»Aber es muss doch jemand sein, der kitzlig ist«, sagte Klein-Ida, und da war Lina die Richtige.

Ida ließ ihre kleinen Finger langsam an Linas Rücken emporkriechen und sprach den Reim, der dazugehörte:

»Lieber Vater, liebste Mutter mein,
füllt doch bitte Mehl und Salz mir ein,
denn jetzt schlachte ich mein Weihnachtsschwein,
und wenn ich's schlachte, wird es schrein.«

Wenn Ida zu dem »schrein« kam, bohrte sie Lina den Zeigefinger in die Rippen, und Lina schrie jedes Mal auf und lachte zu Idas vollster Zufriedenheit.

307

Michels Papa saß da und hörte das »jetzt schlachte ich mein Weihnachtsschwein«. Das regte wohl seine Gedanken an, denn er sagte plötzlich etwas Entsetzliches.

»Ja, nun ist bald Weihnachten. Es ist also an der Zeit, Michel, dass du dein Schwein schlachtest.«

Michel fiel das Schnitzmesser aus der Hand. Er starrte seinen Vater an.

»Knirpsschweinchen schlachten! Niemals!«, sagte er. »Das ist doch mein Schwein, mein Nüchternheitsschwein – hast du das vergessen?«

Das hatte Michels Papa natürlich nicht vergessen. Aber er sagte, in ganz Småland hätte noch niemand von einem Schwein gehört, das wie ein Schoßhund gehalten wurde, und so viel Bauer müsste Michel doch schon sein, um zu wissen, dass Schweine geschlachtet würden, wenn sie groß genug waren, dazu hatte man sie doch.

»Weißt du das nicht?«, fragte Michels Papa verwundert.

Ja, das wusste Michel natürlich, und zuerst fiel ihm keine Antwort ein, doch dann hatte er eine gute Idee.

»Ich bin jedenfalls so viel Bauer, dass ich weiß, dass einige Eber am Leben bleiben dürfen, um Vatereber zu werden. Und genau das hab ich mir bei Knirpsschweinchen gedacht.«

Michel wusste, was du vielleicht nicht weißt, dass ein Vatereber ein Schwein ist, das der Papa von vielen kleinen Schweinchen werden soll. Dies sollte Knirpsschweinchens Rettung sein, dachte Michel, denn dumm war er nicht. Eine Sau für Knirpsschweinchen würde er schon auftreiben, und wenn sie auch noch so klein wäre, erklärte er seinem Vater, und dann würden Knirpsschweinchen und seine Sau so viele Ferkelchen bekommen, dass es um sie herum nur so wimmelte.

»Das hört sich gut an«, sagte Michels Papa. »Aber es wird hier auf Katthult magere Weihnachten geben. Keinen Schinken und keine Blutklöße und nichts!«

»Gebt doch Mehl und Salz mir bloß,
möcht ihn kochen, den Blutkloß«,

sagte Klein-Ida, aber Michel brüllte sie an:
»Still, du mit deinen Blutklößen!«

Er wusste ja, dass zu dem Kloß nicht nur Mehl und Salz, sondern auch Schweineblut gehörte.

Aber nicht das Blut von Knirpsschweinchen! Nicht, solange Michel lebte, so viel war sicher!

In der Küche herrschte eine Zeit lang Stille, eine düstere Stille. Plötzlich fluchte Alfred los. Er hatte sich mit dem scharfen Schnitzmesser in den Daumen geschnitten, und das Blut floss nur so.

»Es wird nicht besser, wenn du fluchst«, sagte Michels Papa streng. »Und ich will in meinem Haus keine Flüche hören.«

Michels Mama holte einen sauberen Leinenlappen und wickelte ihn um Alfreds Daumen. Dann schnitzte Alfred weiter. Das war eine gute Winterarbeit, denn alle Rechen mussten, wo es nötig war, neue Zinken bekommen, sie sollten ja im Frühling in Ordnung sein.

»Wie gesagt … es wird ein mageres Weihnachtsfest hier auf Katthult«, sagte Michels Papa und starrte düster vor sich hin.

An diesem Abend lag Michel lange wach, und am nächsten Morgen zerschlug er sein Sparschwein und nahm von seinem Geld fünfunddreißig Kronen. Dann spannte er Lukas vor einen Schlitten und fuhr nach Bastefall. Da hatten sie reichlich Schweine, und er kam mit einem Prachtschwein zurück, das er zu Knirpsschweinchen in den Stall laufen ließ.

Dann ging er zu seinem Vater.

»So, jetzt sind zwei Schweine im Stall«, sagte er. »Schlachte nun! Aber nimm nicht das falsche – das rat ich dir!«

So eine Riesenwut, wie sie jetzt in Michel war, überkam ihn manchmal, und es kümmerte ihn nicht, dass es sein Vater war, mit dem er sprach. Es war für ihn ein entsetzliches Gefühl, dass man Knirpsschweinchens Leben nur erkaufen konnte, indem man ein anderes armes Schwein tötete. Aber er sah keinen anderen Ausweg, und Michel wusste auch, dass er sonst keine Ruhe vor seinem Vater gehabt hätte, der ja nicht verstand, dass einem ein Schwein etwas wie ein Schoßhund sein konnte.

Zwei Tage lang ging Michel nicht in den Schweinestall, sondern ließ Lina das Fressen zu den beiden Schweinen bringen. Am Morgen des dritten Tages wachte er auf, obwohl es draußen noch kohlrabenschwarz war. Er hörte ein Schwein um sein Leben quieken. Es quiekte schrill und gellend, aber dann war es plötzlich still.

Michel hauchte auf die befrorene Fensterscheibe, damit er ein Guckloch bekam, und sah hinaus. Er sah den Schein der Laterne hinten im Schweinestall und dunkle Schatten, die sich bewegten. Jetzt war das Schwein tot, das wusste er. Jetzt stand dort Lina und rührte das Blut, das aus dem Schwein herausrann. Bald würden sein Vater und Alfred es abbrühen und ihm die Borsten abschaben und es zerteilen. Krösa-Maja würde kommen, und sie und Lina würden nachher im Waschhaus die Därme auswaschen, und damit war es dann zu Ende mit dem Bastefall-Schwein, das Michel gekauft hatte.

»Und wenn ich's schlachte, wird es schrein«, murmelte Michel, und dann kroch er wieder in sein Bett und weinte lange.

Aber so ist der Mensch – er vergisst. Und so war Michel auch. Am Nachmittag saß er eine Weile bei Knirpsschweinchen im Stall, und während er es kratzte, sagte er gedankenvoll:

»Du, Knirpsschweinchen, du lebst! So verschieden ist das hier auf der Welt, du, du lebst!«

Dann nahm er sich vor, das Bastefall-Schwein zu vergessen. Und als am nächsten Tag Krösa-Maja und Lina in der Küche saßen und emsig Speckwürfel schnitten und die Mutter Wurstmasse knetete und Blutklöße kochte und den Weihnachtsschinken in seine Salzlake legte, während Lina sang »Ein Wind weht so kalt, her von der See« und Krösa-Maja von dem Gespenst ohne Kopf im Pfarrhaus erzählte, da fühlte Michel sich wohl. Er dachte nicht mehr an das Bastefall-Schwein, sondern nur noch daran, dass bald Weihnachten sein würde und wie schön es war, dass es endlich angefangen hatte, richtig zu schneien.

»Jetzt kommt der Schnee, viel Schnee, viel Schnee«, sagte Klein-Ida.

Und wie es schneite. Im Laufe des Tages wurde es immer schlimmer, und dazu stürmte es auch. Der Schnee wirbelte, dass man kaum die Ställe erkennen konnte, wenn man hinaussah.

»Ja, jetzt braut's sich zusammen, das wird ein Schneesturm«, sagte Krösa-Maja. »Wie soll ich nur nach Hause kommen?«

»Du bleibst heute Nacht hier«, sagte Michels Mama. »Du kannst mit Lina zusammen auf der Küchenbank schlafen.«

»Ja, aber dann sei so gut, und lieg still wie ein totes Schwein! Denk daran, dass ich kitzlig bin«, sagte Lina.

Beim Abendbrot klagte Alfred über seinen Daumen. Er sagte, er hätte Schmerzen. Michels Mama wickelte den Verband ab, um nachzusehen, warum die Wunde nicht geheilt war.

Es war kein schöner Anblick. Die Wunde war rot und eitrig und geschwollen, und rote Streifen zogen sich vom Daumen ein kleines Stück über das Handgelenk hinaus.

Krösa-Majas Augen begannen zu leuchten.

»Blutvergiftung«, sagte sie. »Gefährliche Sache, das.«

Michels Mama holte die Flasche mit Sublimat und machte einen Sublimatumschlag um Alfreds Hand und Arm.

»Wenn es bis morgen nicht besser wird, dann fährst du zum Doktor nach Mariannelund«, sagte sie.

In der Nacht schneite und stürmte es über ganz Småland, keiner konnte sich erinnern, dass es jemals so schlimm gewesen war, und als sie am Morgen auf Katthult erwachten, lag der Hof unter einer einzigen großen, weichen Schneewehe versteckt. Und der Schneesturm tobte weiter. Es schneite und stürmte, dass man kaum die Nase hinausstecken konnte, und im Schornstein heulte der Wind – hu, so was hatte man noch nie erlebt!

»Da kann Alfred den ganzen Tag Schnee schaufeln«, sagte Lina. »Er kann es aber auch lassen, denn es ist ja doch umsonst.«

Und Alfred schaufelte keinen Schnee an diesem Tag. Als Frühstückszeit war, blieb sein Platz am Küchentisch leer, und er ließ auch nichts von sich hören. Michel wurde unruhig. Er setzte seine Müsse auf, zog die dicke Lodenjoppe an, nahm die Schneeschaufel, die neben der Küchentür stand, und schaufelte sich einen Weg hinüber zur Knechtshütte, die Wand an Wand mit dem Tischlerschuppen lag.

Lina sah ihm durch das Küchenfenster nach und nickte zufrieden.

»Sehr klug von Michel, den Schnee beiseitezuschaffen, da kann er schnell zum Tischlerschuppen sausen. Man weiß ja nie, in welchem Augenblick das nötig ist.«

Dumme Lina, sie verstand nicht, dass Michel auf dem Weg zu Alfred war.

Es war kalt in der Knechtskammer, als Michel hereinkam. Alfred hatte kein Feuer gemacht. Er lag in seinem Ausziehbett und wollte nicht aufstehen. Essen wollte er auch nicht. Er habe keinen Hunger, sagte er. Da wurde Michel noch unruhiger. Wenn Alfred keinen Hunger hatte, dann musste es schlimm um ihn stehen.

Michel legte Holz in den Ofen und machte Feuer, und dann lief er los und holte seine Mama. Sie kam, sie kamen übrigens

alle, Michels Papa und Lina und Krösa-Maja und Klein-Ida, denn alle machten sich Sorgen um Alfred.

Der arme Alfred lag mit geschlossenen Augen da. Heiß wie ein Ofen war er und fror trotzdem. Die roten Streifen waren weit hinaufgekrochen bis zu den Achselhöhlen, es sah schrecklich aus.

Krösa-Maja nickte eifrig.

»Wenn die zum Herzen gehen, die Streifen da, dann isses aus, dann stirbt er.«

»Sei still«, sagte Michels Mama. Aber so leicht war es nicht, Krösa-Maja zum Schweigen zu bringen. Allein in Lönneberga kannte sie wenigstens ein halbes Dutzend Menschen, die an Blutvergiftung gestorben waren, und die zählte sie alle auf.

»Aber deshalb müssen wir ja Alfred nicht aufgeben«, sagte sie.

Sie glaubte, es würde vielleicht helfen, wenn man eine Locke von seinem Haar und einen Zipfel seines Hemdes um Mitternacht nördlich vom Haus vergrabe und dabei eine gute Beschwörung spreche. Sie wüsste eine, meinte sie.

»Drei und drei! Was vom Satan kommt, geht zum
Satan zurück! Damit es so sei – drei und drei!«

Aber Michels Papa sagte, dass es mit der Beschwörung reiche,
die Alfred rausgerutscht sei, als er sich in den Daumen geschnitten habe. Und wenn etwas bei diesem Wetter nördlich
vom Haus vergraben werden sollte, dann könne Krösa-Maja
das ja selbst machen.

Krösa-Maja schüttelte bedenklich den Kopf.

»Ja, ja, dann muss es eben gehen, wie es geht, ach, ach, ach!«
Michel wurde rasend.

»Was ist das nur für ein Weibergeschwätz! Alfred wird bald
gesund, begreifst du das?«

Da zog Krösa-Maja den Kopf ein.

»Ja doch, kleiner Michel, er wird wieder gesund; natürlich
wird er wieder gesund!« Und sicherheitshalber streichelte sie
Alfred und beteuerte laut: »Gewiss wirst du gesund, Alfred, das
begreife ich doch!« Aber danach schaute sie zur Kammertür und
murmelte vor sich hin: »Aber was ich nicht begreife: Wie wollen die bloß einen Sarg durch die schmale Tür da schaffen!«

Michel hörte es und fing an zu weinen. Er zupfte seinen Vater ängstlich an der Jacke. »Wir müssen Alfred zum Doktor
nach Mariannelund bringen, wie Mama gesagt hat.«

Da sahen Papa und Mama einander so seltsam an. Sie wussten, dass es ganz unmöglich war. Nein, es war einfach undenk-
bar, heute nach Mariannelund zu kommen. Aber es war schwer,
das Michel geradeheraus zu sagen, der so traurig dastand. Michels Mama und Papa wollten Alfred natürlich auch helfen.
Sie wussten nur nicht, auf welche Weise, und deshalb wussten

sie auch nicht, was sie Michel antworten sollten. Michels Papa verließ die Kammer ohne ein Wort. Aber Michel gab nicht auf. Er folgte seinem Vater auf Schritt und Tritt und weinte und bat und schrie und drohte und war wie von Sinnen. Aber, stell dir vor, diesmal wurde sein Vater nicht wütend, er sagte nur ganz leise:

»Es geht nicht, Michel, du weißt selbst, dass es nicht geht!«

Lina saß in der Küche und heulte und schluchzte.

»Und ich hab mir gedacht, dass wir im Frühling heiraten! Ja, Feierabend! Jetzt ist es aus mit Alfred. Und ich, ich sitz hier mit vier Laken und einem ganzen Dutzend Handtüchern, ja, das ist gemein!«

Endlich begriff Michel, wie es stand. Es gab keine Hilfe. Da ging er zur Knechtshütte zurück. Er saß den ganzen Tag bei Alfred, und es war der längste Tag in Michels Leben.

Alfred lag da und schlief. Nur manchmal schaute er auf, und jedes Mal sagte er:

»Da bist du ja, Michel!«

Michel sah den Schnee draußen vor dem Fenster wirbeln, und er hasste ihn so glühend, dass eigentlich aller Schnee in ganz Lönneberga und ganz Småland davon hätte schmelzen

müssen. Aber sicher soll die ganze Welt im Schnee versinken, dachte Michel, weil immer noch mehr herunterkam.

Wintertage sind kurz, auch wenn sie dem, der dasitzt und wartet wie Michel, lang erscheinen. Es dämmerte schon, und bald würde es dunkel werden.

»Da bist du ja, Michel«, sagte Alfred wieder, aber das Sprechen fiel ihm jetzt schwerer.

Michels Mama kam mit Fleischbrühe und redete Michel gut zu, und er aß. Sie versuchte es auch bei Alfred, aber Alfred wollte nicht. Da seufzte Michels Mama und ging wieder.

Am späten Abend kam Lina und sagte, es sei jetzt Zeit für Michel, ins Bett zu gehen.

Nein, das sollte sich ja keiner einbilden!

»Ich werde hier neben Alfred auf dem Fußboden schlafen«, sagte Michel. Und dabei blieb es.

Er stöberte eine alte Matratze für sich auf und eine Pferdedecke, mehr brauchte er nicht. Aber er konnte nicht schlafen. Er lag wach da und sah, wie die Glut im Ofen fahl wurde, und hörte, wie Alfreds Wecker tickte, aber er hörte auch, wie schnell Alfred atmete und wie er manchmal vor sich hin wimmerte. Wohl fiel Michel ab und zu in einen kurzen Schlaf, aber er wachte jedes Mal mit einem heftigen Ruck wieder auf. Die Sorge um Alfred drückte ihm das Herz ab, und wie die Nacht so verging, fühlte er immer mehr, wie falsch alles war und wie es bald zu spät sein würde, auf ewig zu spät.

Und dann, als es vier Uhr morgens war, wusste Michel, was er tun musste. Er musste Alfred nach Mariannelund zum Doktor bringen, und wenn sie beide, er und Alfred, dabei draufgehen sollten.

Du sollst da nicht in deinem Bett liegen und sterben, Alfred, nein, das sollst du nicht!

Er sagte es nicht laut, er dachte es nur. Aber er dachte es mit Nachdruck. Und er fing sofort an zu handeln. Er musste wegkommen, bevor jemand aufwachte und ihn daran hinderte. Eine Stunde hatte er noch Zeit, bevor Lina zum Melken aufstehen musste, und in dieser Stunde musste alles geschehen.

Keiner weiß, wie Michel es anstellte und wie er während dieser Stunde schuftete. Der Korbschlitten musste aus dem Wagenschuppen, Lukas musste aus dem Stall und angeschirrt werden, und Alfred musste aus dem Bett und hinaus in den Schlitten. Das Letzte war das Schwerste. Der arme Alfred schwankte und stützte sich schwer auf Michel. Und als es ihm endlich gelungen war, sich bis zum Schlitten zu schleppen, da stürzte er kopfüber hinein zwischen die Schaffelle und blieb liegen, als sei er schon tot.

Michel deckte ihn so zu, dass nur noch die Nasenspitze hervorsah. Dann setzte er sich auf den Kutschbock, zog an den Zügeln und forderte Lukas auf, loszutraben. Aber Lukas wandte den Kopf und sah Michel misstrauisch an. Das war ja ein Wahnsinn ohnegleichen, in diesen Schnee hinauszufahren! Verstand Michel das nicht?

»Jetzt bin ich es, der bestimmt«, sagte Michel, »und nachher bist du es, Lukas, auf den es ankommt!«

Schon wurde in der Küche Licht gemacht, Lina war aufgestanden. In letzter Minute glitt Michel mit Lukas und dem Schlitten durch das Katthult-Tor und bog in Schnee und Wind auf den Weg ein.

Hui, da war der Schneesturm über ihm! Der Schnee fegte

ihm um die Ohren und verklebte ihm die Augen so, dass er
nichts mehr sah, und er wollte doch wenigstens den Weg sehen.
Er wischte sich mit dem Wollhandschuh übers Gesicht, aber
er sah noch immer keinen Weg, obwohl er zwei Wagenlater-
nen am Schlitten hatte. Es gab keinen Weg. Es gab nur Schnee.
Aber Lukas war viele Male in Mariannelund gewesen. Vielleicht wusste er tief drinnen in seinem Pferdegedächtnis, wie
der Weg ungefähr verlief. Und zäh und ausdauernd war Lukas,
er war wirklich ein Pferd, mit dem man sich in den Schnee wagen konnte! Stück um Stück kamen sie vorwärts. Jedes Mal,
wenn der Schlitten sich in einer Schneewehe festfuhr, gab es
einen heftigen Ruck. Von Zeit zu Zeit musste Michel herunter
und mit der Schneeschaufel nachhelfen. Er war stark wie ein
kleiner Ochse, und in dieser Nacht schaufelte er so viel Schnee,
dass er es niemals wieder vergaß.

»Man wird stark, wenn man *muss*«, erklärte er Lukas.

Gewiss, Michel war stark, und die erste halbe Meile ging es recht gut, aber dann wurde es schwer, ja, dann wurde es richtig schlimm für Michel. Er war jetzt müde, die Schaufel kam ihm immer schwerer vor, er schaffte es nicht mehr, kräftig draufloszuschaufeln. Er fror, er hatte Schnee in den Stiefeln, seine Zehen waren steif, die Finger taten ihm weh vor Kälte, die Ohren auch, obwohl er einen Wollschal um die Müsse gebunden hatte, damit die Ohren nicht weggeblasen würden. Alles zusammen war wirklich schlimm, und Michel verlor allmählich den Mut. Sollte sein Vater recht behalten, als er gesagt hatte:

»Es geht nicht, Michel, du weißt selbst, dass es nicht geht!«

Lukas ließ auch nach. Es fiel ihm immer schwerer, den Schlitten freizubekommen, wenn er sich festgefahren hatte. Und schließlich geschah das, wovor Michel sich die ganze Zeit gefürchtet hatte. Plötzlich versank der Schlitten, und Michel wusste, dass sie jetzt im Graben steckten.

Ja, sie waren im Graben, und da saßen sie nun. Es half nichts, dass Lukas zog und zerrte und Michel schob, dass er Nasenbluten bekam – der Schlitten stand, wo er stand.

Da kam eine solche Wut über Michel, er geriet in eine solche Raserei über den Schnee und den Schlitten und den Graben und diesen ganzen Mist, dass er fast den Verstand verlor. Er stieß ein Geheul aus, das sich wie das Urgeheul selbst anhörte. Lukas erschrak und Alfred vielleicht auch, wenn er überhaupt noch am Leben war. Michel bekam es mit der Angst und hörte mitten in seinem Geheul auf.

»Lebst du noch, Alfred?«, fragte er ängstlich.

»Nein, jetzt bin ich wohl tot«, sagte Alfred mit einer seltsam heiseren, schrecklichen Stimme. Und da fuhr die Wut aus

Michel heraus, und es blieb nur noch Traurigkeit zurück. Er fühlte sich einsam. Wenn auch Alfred hinter ihm im Schlitten lag, er war doch ganz allein und hatte niemanden, der ihm helfen konnte. Jetzt wusste er nicht mehr, was er machen sollte. Er hätte sich am liebsten in den Schnee gelegt, um zu schlafen und alles zu vergessen.

Aber da lag doch irgendwo in der Nähe ein Hof ... Das war der, den Michel den Pfannkuchenhof nannte. Und plötzlich sah er einen Lichtschimmer, und ein bisschen Hoffnung flackerte in ihm auf.

»Ich hol Hilfe, Alfred«, sagte er. Aber Alfred antwortete nicht, und Michel machte sich auf den Weg. Er kämpfte sich durch die tiefen Schneeverwehungen, und als er dann endlich in der Stalltür stand, glich er mehr einem Schneemann als irgendetwas anderem.

Der Pfannkuchenbauer war selbst im Stall, und er war ziemlich erstaunt, als er den Katthult-Jungen in der Tür stehen sah, schneebedeckt, voller Nasenblut und tränenüberströmt. Ja, Michel weinte, er konnte nicht anders, er wusste, es würde nicht einfach sein, den Pfannkuchenbauern in den Schnee rauszukriegen. Er war widerborstig, dieser Bauer, aber er sah wohl ein, dass er helfen musste. Er kam mit seinem Pferd und Seilen und alten Decken zu Hilfe und holte den Schlitten damit aus dem Graben, wenn er auch die ganze Zeit über böse vor sich hin brummelte.

Hätte der Pfannkuchenbauer etwas Anstand besessen, dann hätte er sicher versucht, Michel weiterzuhelfen bis nach Mariannelund. Aber das tat er nicht, und Michel und Lukas mussten ihre verzweifelte, trostlose Fahrt durch die Schneewehen

fortsetzen. Mehr konnten sie ja auch nicht tun. Sie versuchten
es natürlich beide immer wieder, aber sie waren so erschöpft,
und es ging so furchtbar langsam. Und dann war es so weit:
Michel musste aufgeben. Er konnte nicht mehr. Er konnte
nicht einmal mehr die Schneeschaufel anheben.

»Ich kann nicht mehr, Alfred«, sagte er und weinte. Da waren es nur noch ein paar Kilometer bis nach Mariannelund,
und deshalb war es so grausam, dass er aufgeben musste, jetzt,
wo sie nahe am Ziel waren.

Von Alfred war kein Laut zu hören. Sicher ist er tot, dachte
Michel. Lukas stand mit gesenktem Kopf da und sah aus, als
ob er sich schämte. Er konnte auch nicht mehr.

Michel kletterte auf den Kutschbock. Dort saß er und
weinte leise; der Schnee hüllte ihn ein, und er rührte sich nicht.
Jetzt war alles aus, und es durfte so viel schneien, wie es wollte,
er kümmerte sich nicht mehr darum.

Er machte die Augen zu, er wollte schlafen. Hier auf dem Kutschbock konnte er sitzen und unter all dem Schnee schlafen – das wäre schön, dachte er.

Aber eigentlich gab es ja gar keinen Schnee und keinen Winter. Eigentlich war doch Sommer. Er spürte es, denn er und Alfred waren am Katthultsee und badeten. Und Alfred wollte Michel das Schwimmen beibringen. Dummer Alfred, wusste er denn nicht, dass Michel schon schwimmen konnte? Alfred selbst hatte es ihm doch vor vielen Jahren beigebracht – hatte er das vergessen? Michel musste ihm zeigen, wie gut er schwimmen konnte … Und dann schwammen sie und schwammen und schwammen zusammen, immer weiter und weiter, hinaus auf den See, und es war herrlich im Wasser, und Michel sagte: »Du und ich, Alfred!« Und er wartete darauf, dass Alfred so antworten würde wie immer: »Ja, du und ich, Michel, so soll's sein!«

Aber stattdessen hörte er Glockengeläut, und das war falsch. Wenn man badete, durften doch keine Glocken läuten!

Mühsam riss sich Michel aus seinem Traum, mühsam öffnete er die Augen. *Und da sah er den Schneepflug!* Mitten durch den wirbelnden Schnee kam ein Schneepflug. Ja, da kam wahrhaftig ein Schneepflug aus Mariannelund. Und der Mann, der ihn fuhr, starrte Michel an, als sähe er einen Geist und nicht den völlig eingeschneiten Jungen von Katthult in Lönneberga.

»Ist der Weg frei bis ganz nach Mariannelund?«, fragte Michel aufgeregt.

»Ja«, rief der Fahrer, »wenn du dich beeilst. In einer halben Stunde ist sicher wieder alles dicht.«

Aber eine halbe Stunde reichte Michel.

Das Wartezimmer des Arztes war voller Menschen, als Michel die Tür aufriss. Der Arzt steckte gerade den Kopf aus seinem Sprechzimmer, um zu sehen, wer als Nächster an der Reihe war. Aber da brüllte Michel:

»Alfred liegt draußen im Schlitten und stirbt!«

Der Arzt war kein Dummkopf. Schnell nahm er einige Männer aus dem Wartezimmer mit hinaus, und dann trugen sie Alfred hinein und legten ihn auf den Operationstisch. Als der Arzt einen raschen Blick auf Alfred geworfen hatte, schrie er:

»Geht alle nach Hause, Leute! Ich hab jetzt was anderes zu tun.«

Michel hatte gedacht, dass Alfred fast im selben Augenblick gesund werden würde, wenn er zum Arzt käme. Aber als er jetzt sah, dass der Arzt ungefähr wie Krösa-Maja den Kopf schüttelte, da kriegte Michel Angst. Wenn es nun keine Ret-

tung mehr für Alfred gab – wenn es nun trotzdem zu spät war? Es tat ihm so schrecklich weh, als er das dachte. Mit tränenerstickter Stimme bestürmte er den Arzt:

»Du bekommst mein Pferd, wenn du ihn gesund machst ... mein Schwein auch. Mach ihn bloß gesund! Glaubst du, dass du das kannst?«

Der Arzt sah Michel lange an. »Ich werde tun, was ich kann, aber ich verspreche nichts!«

Alfred lag da und gab kein Lebenszeichen von sich. Aber plötzlich öffnete er die Augen und sah Michel verwirrt an.

»Da bist du ja, Michel«, sagte er.

»Ja, hier ist Michel«, sagte der Arzt. »Aber jetzt ist es besser, er geht eine Weile hinaus, denn nun muss ich schneiden, Alfred!«

Da konnte man in Alfreds Augen sehen, dass er Angst bekam, er war Ärzte und Schneidereien nicht gewohnt.

»Ich glaub, er hat ein bisschen Angst«, sagte Michel. »Es ist vielleicht das Beste, wenn ich bei ihm bleibe.«

Der Arzt nickte. »Ja, hast du es geschafft, ihn hierherzubringen, dann wirst du dies wohl auch schaffen.«

Und Michel nahm Alfreds gesunde Hand in seine und hielt sie fest, während der Arzt an der anderen schnitt. Alfred sagte keinen Pieps. Er schrie nicht, und er weinte nicht – nur Michel weinte ein wenig, aber so leise, dass man es nicht hörte.

Erst am Tag vor Heiligabend kam Michel mit Alfred nach Hause. Da wusste ganz Lönneberga von seiner großen Heldentat, und alle jubelten.

»Diesen Katthult-Jungen, den hab ich schon immer gerngehabt«, sagten sie allesamt. »Ich kann nicht verstehen, weshalb sich einige Menschen immer so über ihn beklagt haben! Ein bisschen Unfug machen doch wohl alle Jungen!«

Michel hatte übrigens vom Arzt für seine Mama und seinen Papa einen Brief mitbekommen. Darin stand unter anderem:

»Ihr habt einen Jungen, auf den Ihr stolz sein könnt.« Und Michels Mama schrieb in das blaue Schreibheft: »Mein Gott, wie das mein armes Mutterherz getröstet hat, das so oft an Michel verzweifelte. Und ich werd schon dafür sorgen, dass die hier in der Gemeinde das erfahren!«

Aber ach, was für unruhige Tage hatten sie auf Katthult gehabt! Als sie an dem furchtbaren Morgen entdeckten, dass Michel und Alfred verschwunden waren, da war Michels Papa so außer sich, dass er Bauchschmerzen bekam und sich ins Bett legen musste. Er glaubte, er würde Michel nie im Leben wiedersehen.

Dann war ja eine Nachricht aus Mariannelund gekommen, die ihn beruhigt hatte. Trotzdem hatte er noch immer Bauchweh, als Michel zurückkam und in die Kammer sauste, um seinem Vater zu zeigen, dass er nun wieder zu Hause war.

Michels Papa sah Michel an, und seine Augen glänzten.

»Michel, du bist ein guter Junge«, sagte er, und Michel wurde so glücklich, dass ihm das Herz im Leibe hüpfte. Dies war wirklich einer der Tage, an denen er seinen Papa gernhatte.

Und Michels Mama stand da und plusterte sich auf vor Stolz.

»Ja, er ist schon tüchtig, unser Michel«, sagte sie und streichelte seinen wolligen Kopf.

Michels Papa hatte einen warmen Topfdeckel auf dem Bauch, der linderte den Schmerz so schön. Aber jetzt war er kalt geworden, und er musste wieder angewärmt werden.

»Das kann ich«, rief Michel eifrig, »ich kenne mich ja nun in Krankenpflege aus.«

Michels Papa nickte anerkennend.

»Und *du* kannst mir dann ein Glas Saft bringen«, sagte er zu Michels Mama. Herumliegen und umsorgt werden – ja, jetzt hatte er es wirklich gut!

Michels Mama hatte aber noch anderes zu tun, es dauerte eine Weile, bis der Saft fertig war, und gerade als sie ihn eingoss, hörte sie von der Kammer her ein unheimliches Gebrüll. Es war Michels Papa, der schrie. Michels Mama wartete nicht eine Sekunde, sie stürzte in die Kammer, und in diesem Augenblick kam ihr der Topfdeckel auf dem Fußboden entgegengesaust. Sie konnte noch zur Seite springen, aber in ihrem Schrecken vergoss sie den Saft, der auf den Topfdeckel spritzte, und da zischte es laut auf.

»Unglückseliger Junge, wie heiß hast du den Topfdeckel gemacht?«, fragte sie Michel, der ganz betroffen dastand.

»Ich dachte, er sollte ungefähr so heiß sein wie ein Bügeleisen«, sagte Michel.

Und dann kam heraus, dass Michels Papa eingeschlafen war, während Michel in der Küche den Topfdeckel auf dem Herd wärmte. Als Michel zurückkam und seinen Vater friedlich schlafen sah, wollte er ihn natürlich nicht wecken und schob deshalb den Topfdeckel vorsichtig unter die Decke auf seinen Bauch. Ja, es war natürlich Pech, dass er viel zu heiß geworden war.

Michels Mama tat, was sie konnte, um ihren Mann zu beruhigen.

»Ja, ja, ja, ich komm gleich mit der Brandsalbe«, sagte sie.

Aber Michels Papa stand auf. Er traue sich nicht, länger krank zu sein, meinte er, jetzt, wo Michel im Hause sei, und außerdem wolle er auch Alfred begrüßen.

Alfred saß in der Küche, ziemlich blass und den Arm im Verband, aber froh und zufrieden, und Lina schwirrte begeistert um ihn herum. Sie und Krösa-Maja waren dabei, das Kupfer zu putzen. Alle Töpfe, Schüsseln und Pfannen sollten sauber sein und zu Weihnachten glänzen. Aber Lina konnte nicht still stehen. Mit dem Putzlappen in der einen Hand und der Käsekuchenschüssel in der anderen rannte sie um Alfred herum und benahm sich so, als hätte sie ganz unerwartet einen Goldklumpen in ihrer Küche gefunden. Klein-Ida wandte auch kein Auge von Alfred. Sie sah ihn so ernst an, als wüsste sie nicht sicher, ob das wirklich derselbe alte Alfred war, der nach Hause gekommen war.

Krösa-Maja hatte einen ihrer großen Augenblicke. Sie redete von Blutvergiftung, dass es in ihren Mundwinkeln schäumte. Alfred könne froh sein, dass es so ausgegangen sei, meinte sie.

»Aber du musst nicht gar zu übermütig werden, denn siehst du, Blutvergiftung, die ist so verbiestert schlimm und noch lange drin. Wenn also einer schon gesund geworden ist, kann er noch lange danach krank sein, ja wirklich, so isses.«

An diesem Abend war es gemütlich auf Katthult. Michels Mama spendierte von der neuen Grützwurst, und es gab einen richtigen Grützwurstschmaus. Sie saßen in der weihnachtsfeinen Küche in größter Freude und Wonne, Michel und seine Mama und sein Papa und Lina und Klein-Ida und Alfred und Krösa-Maja. Ja, es war ein richtiger kleiner Heiligabend mit Kerzen auf dem Tisch und allem Drum und Dran. Und dann die Wurst, die war so unwahrscheinlich gut und braun und knusprig gebraten, und sie aßen sie mit Preiselbeeren. Besonders viel aß Alfred, wenn es für ihn auch ein bisschen schwierig war, mit nur einer Hand zurechtzukommen.

Lina sah ihn liebevoll an, und dabei fiel ihr plötzlich etwas Großartiges ein.

»Ja, Alfred, nun hast du doch keine Blutvergiftung mehr! Dann können wir ja im Frühjahr heiraten?«

Alfred bekam einen solchen Schreck, dass er richtig zusammenzuckte und eine ganze Menge Preiselbeeren auf seine Hose kleckerte.

»Das verspreche ich nicht«, sagte er. »Ich hab ja noch einen Daumen, und wer hat gesagt, dass ich in dem nicht auch eine Blutvergiftung kriege?«

»Aber dann, Alfred«, sagte Michel, »dann vergrab ich dich nördlich vom Haus. Das tu ich, denn nach Mariannelund schlepp ich dich nicht noch einmal.«

Krösa-Maja warf Michel einen wütenden Blick zu.

»Ja, man kann mit allem seinen Scherz treiben, das weiß ich schon«, sagte sie beleidigt.

Als sie nun so gemütlich im Schein der weihnachtlichen Kerzen saßen und es beinahe ein bisschen feierlich war, nahm Michels Mama den Brief aus der Schürzentasche und las vor, was der Doktor über Michel geschrieben hatte. Es könnte nichts schaden, dachte sie, wenn sie es alle noch einmal zu hören bekamen.

Als sie fertig war, schwiegen alle. Es war so still geworden, weil das ja durchweg große und bedeutende Worte gewesen waren. Schließlich sagte Klein-Ida:

»Das da war über dich, Michel!«

Aber Michel war verlegen, und er wusste nicht, wohin er sich drehen sollte. Sie sahen ihn alle an, und das hatte er nicht gern, deshalb starrte er eigensinnig aus dem Fenster. Aber aufmunternd war das auch nicht, denn er sah, dass es wieder schneite, und da wurde ihm klar, wer morgen früh rausmusste, um Schnee zu schaufeln.

Er stürzte sich noch einmal auf die Grützwurst. Er hatte beim Essen die Augen gesenkt und guckte nur einmal hastig auf, um zu sehen, ob sie ihn noch immer anstarrten.

Seine Mama tat es jedenfalls. Sie konnte den Blick nicht von ihrem geliebten Jungen wenden. Er war ja so süß mit seinen rosigen Backen und seinem wolligen Haar und seinen sanften blauen Augen, ja, er war wie ein kleiner Weihnachtsengel, fand seine Mama.

Außerdem hatte sie es ja nun vom Doktor schwarz auf weiß, dass sie ein Recht hatte, stolz auf ihren Sohn zu sein.

»Es ist seltsam«, sagte Michels Mama. »Manchmal, wenn ich Michel ansehe, bilde ich mir ein, dass einmal etwas Großes aus ihm wird.«

Michels Papa sah sie zweifelnd an.

»Was denn Großes?«, fragte er verwundert.

»Tja, was weiß ich? Vielleicht ... Gemeinderatspräsident oder so was.«

Da lachte Lina laut auf.

»Ist ja wohl nicht gut möglich, dass die einen Gemeinderatspräsidenten brauchen können, der Unfug macht!«

Michels Mama sah sie streng an, sagte aber nichts, sondern bot mit einer kleinen wütenden Handbewegung der ganzen Runde noch einmal Grützwurst an.

Michel füllte sich etwas auf seinen Teller, und während er seine Wurst langsam mit Preiselbeerkompott bedeckte, dachte er darüber nach, was seine Mama gesagt hatte. Wenn er nun tatsächlich später einmal Gemeinderatspräsident werden würde – das war vielleicht gar nicht so schlecht! Einer musste es ja sein.

Dann grübelte er über das nach, was Lina gesagt hatte. Wenn er nun so ein Gemeinderatspräsident werden würde, der Unfug machte – welchen Unfug konnte man sich dann wohl ausdenken?

Er goss Milch in sein Glas und grübelte weiter … Gemeinderatspräsidentenunfug war doch wohl viel, viel mehr als gewöhnlicher Unfug. Den dachte man sich wohl doch nicht so im Handumdrehen aus. Er hob das Glas zum Mund und wollte einen Schluck trinken, und genau in dem Augenblick kam ihm der Einfall zu einem wirklich tollen Unfug. Und er prustete los, und wie üblich spritzte die Milch über den Tisch auf seinen Papa.

Michels Papa wurde trotzdem nicht richtig böse. Man konnte ja nicht gut auf einen schimpfen, der vom Doktor so

groß gerühmt wurde und der außerdem eine so ungewöhn-
liche Heldentat vollbracht hatte. Michels Papa wischte sich nur
die Milch ab und sagte ein bisschen mürrisch:

»Na, jedenfalls merkt man, wer nach Haus gekommen ist!«

»So darfst du nicht reden«, sagte Michels Mama vorwurfsvoll, und Michels Papa schwieg und versank in Gedanken über
seinen Sohn und dessen Zukunft.

»Dass Michel Präsident im Gemeinderat wird, das bezweifle
ich«, sagte er schließlich. »Aber sicher kann noch ein einigermaßen anständiger Kerl aus ihm werden. Wenn er am Leben
und gesund bleibt und wenn Gott will.«

Michels Mama nickte zustimmend.

»Ja, ja, wenn Gott will!«

»Und wenn Michel will«, sagte die kleine Ida.

Michel lächelte sanft.

»Das werden wir ja sehen«, sagte er. »Das werden wir ja sehen.«

Und dann wurde es Abend und Nacht, und alle schliefen in Ruhe und Frieden, und der Schnee fiel über Katthult und ganz Lönneberga und ganz Småland.

Aber nein, aber nein! Der Arzt nahm Michel den Lukas und das Knirpsschweinchen nicht weg, da brauchst du keine Angst zu haben!

ASTRID LINDGREN (1907–2002), im südschwedischen Småland geboren und aufgewachsen, gehört zu den bekanntesten Schriftstellerinnen der Welt. Sie hat viele liebenswerte Kinderbuchfiguren geschaffen, wie *Pippi Langstrumpf*, die *Kinder aus Bullerbü* oder *Karlsson vom Dach*, und ihre Romane, Märchen und Erzählungen gehören längst zu den Klassikern der Kinderliteratur. Astrid Lindgren wurde vielfach ausgezeichnet, u. a. mit dem Friedenspreis des Deutschen Buchhandels und dem Alternativen Nobelpreis. Ihr zu Gedenken schuf die schwedische Regierung den »Astrid-Lindgren-Gedächtnispreis« für Werke, die von dem tief humanistischen Geist geprägt sind, der mit Astrid Lindgren verknüpft ist.

BJÖRN BERG (1923–2008), als Kind schwedischer Eltern in Bayern geboren, in New York und Schweden aufgewachsen, studierte Kunst und arbeitete als Illustrator für Schwedens größte Tageszeitung *Dagens Nyheter*. Astrid Lindgren selbst entdeckte in einer Zeichnung von Björn Berg ihren *Michel*, so wie sie ihn sich vorstellte, und bat den Künstler, ihr Manuskript zu lesen. Von nun an gab Björn Berg dem *Michel* Gesicht und Gestalt. Er reiste sogar nach Småland, um sich von der dortigen Landschaft und ihren Menschen, von Gattern und Zäunen, Höfen und Häusern ein atmosphärisch stimmiges Bild zu machen. Björn Berg hat alle *Michel*-Bücher illustriert und wurde dafür mit dem »Elsa-Beskow-Preis« ausgezeichnet.